annabrevet
SUJETS 2007

Français

séries générale, technologique et professionnelle

Cécile de Cazanove
Agrégée de lettres modernes

Antonia Gasquez
Agrégée de lettres modernes

HATIER

Coordination éditoriale : Brigitte Brisse et Gwenaëlle Ohannessian
assistées de Gaëlle Leguéné et Cloée Triboulet
Maquette de principe : Tout Pour Plaire et Dany Mourain
Coordination maquette : Hatier, Dany Mourain et Isabelle Vacher
Mise en page : STDI
Correction : Juliette Einhorn

Annabrevet sur Internet : www.annabrevet.com

© Hatier Paris août 2006   ISSN 1168-3783   ISBN 2-218-92411-0

Avant-propos

Pour ce millésime 2007, les Annabrevet font peau neuve !

Plus faciles et plus agréables à consulter, ils sont également plus riches : en sujets, en conseils de méthode, en aides diverses et variées.

En ce qui concerne ce titre de la collection, nous avons été guidés par le souci de vous fournir **tout ce dont vous avez besoin pour préparer l'épreuve** de français.

▶ En premier lieu, l'ouvrage propose **une très large sélection de sujets :** les sujets de la session 2006, mais aussi des sujets de sessions antérieures, de manière à offrir tout un éventail d'exercices, de difficultés variées. Ces sujets sont classés en fonction du genre du texte-support. Dans la rubrique intitulée « Découvrir le sujet », chacun d'eux fait l'objet d'une analyse qui met en évidence les objectifs poursuivis.
À la fin du volume figurent également les sujets de brevet blanc permettant de s'entraîner dans les conditions de l'examen.

▶ Par ailleurs, afin que vous ayez toutes les cartes en main, la première partie de ce volume, « **Comprendre les règles de l'épreuve** », vous donne le descriptif précis de l'épreuve de français au brevet ainsi que les conseils de méthodes indispensables.

▶ La dernière partie de l'ouvrage, « **Maîtriser les repères essentiels** », comprend un lexique très complet des notions du programme.

Si vous travaillez tout seul, notez, pour finir, que de nombreux sujets de cet ouvrage sont repris dans les ouvrages Annabrevet 2007 **Français corrigés**. Associés chacun à une aide, ils font l'objet d'un corrigé détaillé, rédigé conformément aux exigences des examinateurs.

Bon courage à tous !

Sommaire général

Travailler sur les sujets

Autobiographie

Romans ou nouvelles du XIXᵉ siècle

Romans ou nouvelles du XXᵉ et du XXIᵉ siècles

6

Poésie

Théâtre

Autres genres

Brevets blancs

Tableau de présentation

des sujets par genre littéraire

N° des sujets [1]	Genre des textes	Séries [2] Académies	Pages	Auteurs et titres	Thèmes des textes
C1	Autobiographie	C / Madagascar juin 2006	39	**V. Alexakis** *Les Mots étrangers*	Apprendre une langue
C2	Autobiographie	C / Besançon, Dijon, Grenoble, Lyon, Nancy-Metz, Reims, Strasbourg septembre 2005	44	**G. Bouillier** *Rapport sur moi*	Premier amour
3	Autobiographie	T + P / Amiens, Créteil, Lille, Paris, Rouen, Versailles juin 2006	49	**B. Clavel** *Les Petits Bonheurs*	Souvenirs d'enfance
4	Autobiographie	C / Amiens, Créteil, Lille, Paris, Rouen, Versailles septembre 2005	54	**Ph. Labro** *Le Petit Garçon*	Au collège à Paris
C5	Autobiographie	C / Aix-Marseille, Corse, Montpellier, Nice, Toulouse septembre 2005	59	**Cl. Michelet** *Une fois sept*	Voyager avec sa grand-mère
C6	Autobiographie	C / Guadeloupe, Guyane, Martinique septembre 2005	64	**E. Pépin** *Coulée d'or*	Souvenirs d'enfance
7	Autobiographie	C / Europe de l'Est juin 2006	69	**A. Rémond** *Chaque jour est un adieu*	Souvenirs d'enfance

1. **C** *indique les sujets corrigés dans* Annabrevet Corrigés 2007.
2. *Séries* : C = collège, T = technologique, P = professionnelle.

| Réécritures | Auteurs | Dictées | | Rédactions | |
		Temps verbaux	Thèmes	Types	Formes de discours [1]
Présent → futur Singulier → pluriel	V. Alexakis	Présent + imparfait + conditionnel présent	Langue étrangère	Opinion	E + A
Présent → imparfait Singulier → pluriel	G. Bouillier	Imparfait + passé simple + plus-que-parfait	École	Récit + description	N + D + E
Imparfait → présent Il → je	B. Clavel	Imparfait	Lieu Métier	Description Opinion	N + D E + A
Présent → passé Singulier → pluriel	G. Flaubert	Imparfait + passé simple + plus-que-parfait	École	Journal intime	N + E
Nous → elles Passé simple → passé composé	Cl. Michelet	Imparfait + passé simple	Voyage	Récit + dialogue	N + D + A
Discours direct → discours indirect	S. Schwarz-Bart	Imparfait + passé simple + subjonctif présent	Souvenir d'enfance	Récit + dialogue	N + E
Imparfait → présent	A. Rémond	Imparfait + passé composé	Lieu	Description	D + E

1. *Formes de discours attendues :* N = *narratif,* D = *descriptif,* E = *explicatif,* A = *argumentatif.*

N° des sujets [1]	Genre des textes	Séries [2] Académies	Pages	Auteurs et titres	Thèmes des textes
C8	Autobiographie	C / Bordeaux, Caen, Clermont-Ferrand, Limoges, Nantes, Orléans-Tours, Poitiers, Rennes juin 2005	74	**G. Sand** *Histoire de ma vie*	Une femme libre
C9	XIXe	C / Guadeloupe, Guyane, Martinique juin 2001	79	**Guy de Maupassant** *Une vie*	Amour maternel
C10	XIXe	T + P / Polynésie française juin 2002	83	**P. Mérimée** *Colomba*	Une vengeance attendue
C11	XIXe	C / Amérique du Nord juin 2004	87	**É. Zola** *Le Ventre de Paris*	Une famille prospère
C12	XXe	T + P / Guadeloupe, Guyane, Martinique juin 2006	93	**É. Ajar** *L'Angoisse du roi Salomon*	Monsieur Salomon
13	XXe	C / Bordeaux, Caen, Clermont-Ferrand, Limoges, Nantes, Orléans-Tours, Poitiers, Rennes juin 2006	96	**P. Bard** *La Frontière*	Un bidonville au Mexique
14	XXe	T + P / Polynésie française juin 2006	101	**J.-D. Bredin** *Un enfant sage*	Projets d'avenir

1. **C** indique les sujets corrigés dans Annabrevet Corrigés 2007.
2. *Séries* : C = collège, T = technologique, P = professionnelle.

Réécritures	Dictées		Rédactions		
	Auteurs	**Temps verbaux**	**Thèmes**	**Types**	**Formes de discours** [1]
Imparfait → conditionnel passé Singulier → pluriel	**G. Sand**	Imparfait + plus-que-parfait	Métier	Lettre	N + A
Elle → elles	**P. Chamoiseau**	Imparfait	Départ	Récit + dialogue	N + A
Il → nous	**L. Peltzer**	Présent	Vengeance Influence	Suite Opinion	N A
Passé → présent Singulier → pluriel	**É. Zola**	Imparfait + passé simple	Retrouvailles	Journal intime	N + E + A
Registre familier → registre courant	**B. Werber**	Présent	Astrologie	Dialogue Opinion	N A
Plus-que-parfait → passé composé Imparfait → présent	**P. Bard**	Imparfait + plus-que-parfait	Bidonville	Lettre	E + A
Il → ils	**É. Orsenna**	Présent + passé composé	Professeur Médecin	Récit Opinion	N A

1. *Formes de discours attendues :* N = *narratif,* D = *descriptif,* E = *explicatif,* A = *argumentatif.*

N° des sujets [1]	Genre des textes	Séries [2] Académies	Pages	Auteurs et titres	Thèmes des textes
15	XXe	T + P / Bordeaux, Caen, Clermont-Ferrand, Limoges, Nantes, Orléans-Tours, Poitiers, Rennes juin 2006	105	**É. Brisou-Pellen** « Elle s'appelait Tara », dans *Des mots pour la vie : contes*	L'affection d'un chien
C16	XXe	C / Europe de l'Est, juin 2005	110	**M. Fermine** *L'Apiculteur*	Une vocation d'apiculteur
17	XXe	P / Besançon, Dijon , Grenoble, Lyon, Nancy-Metz, Reims, Strasbourg juin 2006	114	**M. Fermine** *Neige*	Un dilemme
18	XXe	C / Polynésie française septembre 2005	118	**M. Gallo** *Le Pont des hommes perdus*	En mai 1940
19	XXe	C / Aix-Marseille, Corse, Montpellier, Nice, Toulouse juin 2006	122	**L. Gaudé** *Le Soleil des Scorta*	Retour au village
20	XXe	T + P / Aix-Marseille, Corse, Montpellier, Nice, Toulouse juin 2006	127	**J. Giono** *L'homme qui plantait des arbres*	Un village abandonné

1. **C** *indique les sujets corrigés dans* Annabrevet Corrigés 2007.
2. *Séries* : C = collège, T = technologique, P = professionnelle.

Réécritures	Dictées		Rédactions		
	Auteurs	*Temps verbaux*	*Thèmes*	*Types*	*Formes de discours* [1]
Il→ ils	**D. Meynard**	Futur	Animal	Suite Lettre	N A
Il → ils	**H. Aufray**	Présent + futur + passé composé	Aventure	Dialogue	N + D + A
Passé → présent *Elle → elles*	**M. Fermine**	Imparfait	Métier	Suite Opinion	N + A A
Plus-que-parfait → passé composé Imparfait → présent	**J. Steinbeck**	Imparfait + passé simple	Guerre	Lettre	D + A
Singulier → pluriel Discours direct → discours indirect	**L. Gaudé**	Imparfait + passé simple + plus-que-parfait	Vengeance	Dialogue	N + A
Il → ils	**M. Aymé**	Imparfait + passé simple + plus-que-parfait	Histoire d'un village Ville / campagne	Suite Opinion	N + A A

1. *Formes de discours attendues :* N = *narratif,* D = *descriptif,* E = *explicatif,* A = *argumentatif.*

13

N° des sujets [1]	Genre des textes	Séries [2] Académies	Pages	Auteurs et titres	Thèmes des textes
21	XXᵉ	T + P / Amiens, Créteil, Lille, Paris, Rouen, Versailles septembre 2005	131	**Gudule** *La Bibliothécaire*	En classe
C22	XXᵉ	T + P / Guadeloupe, Guyane, Martinique juin 2005	136	**D. Lapierre** *La Cité de la joie*	Le mariage en Inde
23	XXᵉ	T + P / Bordeaux, Caen, Clermont-Ferrand, Limoges, Nantes, Orléans-Tours, Poitiers, Rennes septembre 2005	139	**J.-M. G. Le Clézio** *La Grande Vie*	Rêve de voyage
24	XXᵉ	C /Afrique juin 2006	143	**J.-M. G. Le Clézio** *Ourania*	Enfance et lecture
C25	XXᵉ	C / Polynésie française juin 2003	148	**Th. Lenain** *Un pacte avec le Diable*	Livres et réalité
26	XXᵉ	C / Guadeloupe, Guyane, Martinique juin 2006	152	**H. Lopes** *Le Chercheur d'Afriques*	Bêtise d'enfant
27	XXᵉ	C / Bordeaux, Caen, Clermont-Ferrand, Limoges, Nantes, Orléans-Tours, Poitiers, Rennes septembre 2005	156	**P. Péju** *La Petite Chartreuse*	Convalescence

1. **C** indique les sujets corrigés dans Annabrevet Corrigés 2007.
2. *Séries* : C = collège, T = technologique, P = professionnelle.

Réécritures	Dictées		Rédactions		
	Auteurs	**Temps verbaux**	**Thèmes**	**Types**	**Formes de discours** [1]
Singulier → pluriel	**V. Hugo**	Présent	Rêve École	Récit Lettre	N + E E + A
Elle → je	**J. Zobel**	Présent	École Femme	Récit Opinion	N + E + A A
Passé → présent	**T. Ben Jelloun**	Imparfait + passé-simple	Voyage Travail	Suite Opinion	N + E A
Imparfait → plus-que-parfait	**J.-M. G. Le Clézio**	Imparfait	Lecture	Récit + dialogue	N + E
Je → elle	**D'après F. Mauriac**	Présent + imparfait	Rencontre	Suite	N + D
Imparfait → futur *Je → ils*	**L. Hémon**	Imparfait	Lieu Métier	Description Opinion	N E + A
Discours direct → discours indirect	**P. Péju**	Imparfait	Visite	Récit	N + D + A

1. *Formes de discours attendues :* N = *narratif,* D = *descriptif,* E = *explicatif,* A = *argumentatif.*

N° des sujets [1]	Genre des textes	Séries [2] Académies	Pages	Auteurs et titres	Thèmes des textes
28	XXe	C / Nouvelle-Calédonie novembre 2005	161	**P. Péju** *La Petite Chartreuse*	Rencontre
29	XXe	P / Nouvelle-Calédonie novembre 2005	166	**M. Tournier** *Vendredi ou la Vie sauvage*	Une explosion
C30	XXe	C / Pondichéry avril 2005	170	**F. Vargas** *Debout les morts*	Une découverte surprenante
C31	Poésie	C / Amiens, Créteil, Lille, Paris, Rouen, Versailles juin 2006	175	**G. Brassens** « Jeanne », dans *Poèmes et chansons*	Une mère universelle
32	Poésie	T / Besançon, Dijon, Grenoble, Lyon, Nancy-Metz, Reims, Strasbourg juin 2006	180	**D'après A. Gide** *Les Nourritures terrestres*	Ronde des livres
C33	Poésie	C / Nouvelle-Calédonie mars 2005	183	**D. Gorodé** *Dire le vrai*	Écrire un poème
34	Poésie	Polynésie française juin 2006	187	**V. Hugo** « Vieille chanson du jeune temps », dans *Les Contemplations*	Amours enfantines
C35	Poésie	C / Nouvelle-Calédonie septembre 2003	192	**J. Réda** *L'Incorrigible, poésies itinérantes et familières*	Le colloque

1. **C** *indique les sujets corrigés dans* Annabrevet Corrigés 2007.
2. *Séries* : C = collège, T = technologique, P = professionnelle.

Réécritures	Dictées		Rédactions		
	Auteurs	**Temps verbaux**	**Thèmes**	**Types**	**Formes de discours** [1]
Il → je Passé → présent	**P. Péju**	Imparfait + futur antérieur	Amitié	Récit	N + E
Passé → présent *Il → je*	**J.-M. G. Le Clézio**	Présent	Organisation Règlements	Dialogue Opinion	N + E A
Elle → elles Passé → présent	**J. Giono**	Imparfait	Découverte	Dialogue	E + A
Elle → elles	**S. Germain**	Imparfait + passé simple + plus-que-parfait	Générosité	Récit	N + E
Présent → passé	**A. Ernaux**	Présent + imparfait	Illettrisme Livres	Récit Opinion	N A
Infinitif → futur → impératif	**Th. Deransart**	Présent	Pays à naître	Poésie	D + E
Elle → elles *Je → nous*	**Alain-Fournier**	Imparfait + passé simple	Rencontre	Récit + description	N + D + E
Présent → passé composé	**M. Kanh**	Imparfait + passé simple + plus-que-parfait	Langage	Lettre	N + E

1. *Formes de discours attendues* : N = *narratif*, D = *descriptif*, E = *explicatif*, A = *argumentatif*.

N° des sujets [1]	Genre des textes	Séries [2] Académies	Pages	Auteurs et titres	Thèmes des textes
36	Poésie	C / Besançon, Dijon, Grenoble, Lyon, Nancy-Metz, Reims, Strasbourg juin 2006	196	**A. Rimbaud** « Le buffet », dans *Poésies*	Le buffet
37	Théâtre	C / Amérique du Sud novembre 2005	200	**P. Cami** *Le Squelette disparu*	Loufock Holmès enquête
C38	Théâtre	T + P / Besançon, Dijon, Grenoble, Lyon, Nancy-Metz, Reims, Strasbourg septembre 2005	205	**G. Michel** *La Promenade du dimanche*	Promenade en famille
39	Théâtre	T + P / Aix-Marseille, Corse, Montpellier, Nice, Toulouse septembre 2005	209	**M. Pagnol** *Marius,* Acte II, scène 5	Désir de voyage
C40	Théâtre	C / Pondichéry avril 2006	213	**J.-M. Ribes** « Tragédie », dans *Théâtre sans animaux*	Une dispute
C41	Autres genres	C / Amiens, Créteil, Lille, Paris, Rouen, Versailles septembre 2003	218	**M. Gilbert** « Au secours, mon fils m'apprend la vie », dans *Top Famille*	Jeux vidéo
C42	Autres genres	C / Amérique du Nord juin 2006	222	**M. Tournier** *Le Miroir des idées*	La cave et le grenier

1. **C** *indique les sujets corrigés dans* Annabrevet Corrigés 2007.
2. *Séries* : C = collège, T = technologique, P = professionnelle.

Réécritures	Dictées		Rédactions		
	Auteurs	**Temps verbaux**	**Thèmes**	**Types**	**Formes de discours** [1]
Singulier → pluriel	**Ch. Baudelaire**	Présent	Objet	Dialogue	N + D + A
Singulier → pluriel Je → il	**Th. Jonquet**	Imparfait + passé simple	Enquête	Récit + dialogue	N + E
Tu → il	**J. Échenoz**	Imparfait + passé simple + présent	Famille Éducation	Dialogue Opinion	N + E E + A
Je → il	**J.-M. G. Le Clézio**	Présent + imparfait + passé simple	Voyage	Lettre Opinion	N + D A
Présent → futur	**J.-M. Ribes**	Présent + passé composé	Féliciter une actrice	Suite	E
Je → elle	**Article Jeux vidéo Encarta**	Présent + passé composé	Jeux vidéo	Article de journal	N + E + A
Singulier → pluriel Il → je Présent → imparfait	**M. Tournier**	Présent + passé composé	Lieu	Description	D + E

1. *Formes de discours attendues :* N = *narratif,* D = *descriptif,* E = *explicatif,* A = *argumentatif.*

N° des sujets [1]	Genre des textes	Séries [2] Académies	Pages	Auteurs et titres	Thèmes des textes
C43	Théâtre	C / Brevet blanc 1	227	**G. Feydeau** *On purge Bébé !*	Les Hébrides
C44	Poésie	C / Brevet blanc 2	231	**V. Hugo** « Melancholia », dans *Les Contemplations*	Travail des enfants
C45	XIXe	C / Brevet blanc 3	235	**G. de Maupassant** *Aux champs*	Deux familles paysannes
C46	Autres genres	C / Brevet blanc 4	239	**É. Orsenna** *La grammaire est une chanson douce*	Mots et langues

1. **C** *indique les sujets corrigés dans* Annabrevet Corrigés 2007.
2. *Séries* : C = collège, T = technologique, P = professionnelle.

Réécritures	Dictées		Rédactions		
	Auteurs	*Temps verbaux*	*Thèmes*	*Types*	*Formes de discours*[1]
Elle → elles Présent Discours direct → discours indirect	**Bernardin de Saint-Pierre**	Imparfait	Mépris	Récit	N + A
Présent → imparfait	**V. Hugo**	Imparfait	Projet	Lettre	N + A
Discours direct → discours indirect	**A. Daudet**	Imparfait + passé simple	Enfance	Suite	N + D
Actif → passif Discours direct → discours indirect	**É. Orsenna**	Présent	Langue	Opinion	A

1. *Formes de discours attendues :* N = *narratif,* D = *descriptif,* E = *explicatif,* A = *argumentatif.*

Index des auteurs (textes et dictées)

Les chiffres non soulignés renvoient aux numéros des sujets.
Les chiffres soulignés renvoient aux numéros des dictées.

I. Comprendre les règles de l'épreuve

Le programme

Extraits du *Bulletin officiel* n° 10, 15 octobre 1998

Dans le cadre des objectifs généraux du collège, la classe de troisième représente une étape décisive pour la maîtrise des discours. Les apprentissages s'organisent selon trois directions essentielles :

▶ **la compréhension et la pratique des grandes formes de l'argumentation** qui constituent pour les élèves l'innovation principale. Leur étude associe celle des discours narratif, descriptif et explicatif.

▶ **l'expression de soi**. Celle-ci peut se manifester par le récit ou l'argumentation, et mettre l'accent sur l'implication et l'engagement (opinion, conviction, émotion), ou au contraire la distanciation et le détachement (objectivité, distance critique, humour).

▶ **la prise en compte d'autrui**, envisagée à la fois dans sa dimension individuelle (dialogue, débat) et dans sa dimension sociale et culturelle (ouverture aux littératures étrangères, notamment européennes).

I. La lecture

Le principal objectif pratique de la lecture en troisième est de consolider l'autonomie des élèves face à des textes divers.

Dans cette perspective, l'année de troisième :

▶ met l'accent sur la lecture de textes autobiographiques et de poèmes lyriques ;

▶ ouvre davantage à la lecture d'œuvres étrangères ;

▶ accorde une place accrue à la lecture de textes à visée argumentative.

II. L'écriture

En classe de troisième, l'activité d'écriture a deux objectifs majeurs :

▶ perfectionner l'écriture de textes narratifs complexes ;

▶ maîtriser l'exposé d'une opinion personnelle.

Dans la continuité des cycles précédents, on conduit les élèves à produire des écrits fréquents et diversifiés (narration, description, explication, expression d'opinion), dans une progression d'ensemble régie par les deux objectifs ci-dessus.

III. L'oral

L'objectif général est qu'en fin de troisième, les élèves sachent :

▶ identifier les situations d'oral les plus usuelles de la vie personnelle, scolaire et sociale ;

▶ distinguer l'écoute, le dialogue, l'exposé ;

▶ se comporter de façon pertinente dans les différentes activités orales.

On poursuit les pratiques des années précédentes dans les domaines de la lecture à haute voix et de la récitation. On approfondit celle du compte rendu oral en l'orientant vers l'initiation à l'exposé, et celle du dialogue en l'orientant vers la participation à un débat.

IV. Les outils de la langue pour la lecture, l'écriture et la pratique de l'oral

L'étude de la langue est toujours liée aux lectures et aux productions des élèves. En classe de troisième, ils doivent déjà savoir identifier les diverses formes de discours. On approfondit donc l'étude des discours argumentatif et narratif, en accordant au premier une place plus importante.

Le but de cette classe est que les élèves comprennent la notion de forme de discours, l'importance de la notion de point de vue, indissociable de celle d'énonciation, et sachent les mettre en œuvre.

Des moments spécifiques seront consacrés à des mises au point des outils de la langue, dans le cadre de séquences, en fonction des objectifs d'écriture, d'oral et de lecture.

Description de l'épreuve

(*Bulletin officiel* n° 31, 9 septembre 1999)

Durée

L'épreuve écrite dure **3 heures** :
▶ 1 h 30 pour la première partie ;
▶ 1 h 30 pour la seconde partie.
15 minutes de pause vous sont données entre les deux parties.

Ce qui est évalué

▶ Votre maîtrise de la langue (vocabulaire, construction des phrases, orthographe).
▶ Votre aptitude à comprendre un texte.
▶ Votre capacité à vous exprimer clairement à l'écrit et à utiliser différentes formes de discours (narratif, descriptif, explicatif et argumentatif).

Déroulement de l'épreuve

Première partie

▶ On vous distribue un **texte de 20 à 30 lignes** d'un auteur le plus souvent de langue française. Il sert de support à une série de **questions** qui visent à évaluer votre compréhension du passage. L'une de ces questions au moins porte sur le **vocabulaire** et vous demande de donner le sens de mots importants. Les questions de **grammaire** vous font réfléchir sur la situation de communication, l'organisation du texte et la structure des phrases. Certaines questions peuvent porter sur l'**orthographe**.

▶ Après les questions se trouve un **exercice de réécriture**. Il s'agit de réécrire un ou plusieurs passages du texte en fonction de consignes précises : changement des temps verbaux, changement des pronoms personnels, etc.

▶ Un quart d'heure avant la fin de l'épreuve, vous faites une courte **dictée**.

Seconde partie

▶ Pour la **série collège, un sujet de rédaction unique** vous est proposé. Il prend appui sur le texte initial et vous demande d'écrire une rédaction où vous mettrez en œuvre une ou plusieurs formes de discours. La situation de communication dans laquelle s'inscrit votre texte est indiquée dans le sujet.

▶ Pour les séries **technologique et professionnelle, deux sujets de rédaction** au choix vous sont proposés. Ils s'appuient sur le texte initial. Le premier sujet fait surtout appel à votre imagination, le second à votre réflexion sur une question ou un thème qui constitue un élément essentiel du texte.

▶ Dans l'évaluation de la rédaction, on tient compte de l'orthographe, de la correction de la langue et de la présentation.

Renseignements complémentaires

▶ Pour chacune des parties de l'épreuve, vous écrivez sur des copies distinctes. La copie de la première partie est relevée au moment de la pause. Vous en recevez une autre pour la seconde partie.

▶ Pour la rédaction, vous avez le droit d'utiliser un **dictionnaire de langue française** sur un support papier. N'oubliez pas d'en apporter un.

Notation

▶ L'ensemble de l'épreuve de français est sur **40 points**.

▶ La première partie est sur **25 points** :

– 15 points pour les questions ;

– 10 points pour l'exercice de réécriture et la dictée.

▶ La seconde partie est sur **15 points**.

Conseils méthodologiques

■ La préparation

Pour le texte

▶ **Lisez deux fois le texte** qui vous est proposé sans regarder les questions. Repérez bien qui sont les personnages (noms, relations entre eux), le lieu de l'action, l'époque et à quelle personne se fait la narration (1re ou 3e personne).

▶ Les extraits sont souvent choisis dans des **romans** ou des **nouvelles** (dans 12 sujets sur 18 en juin 2006), en majorité du XXe ou du XXIe siècles.

Pour les questions

▶ Commencez par **lire toutes les questions** pour voir ce qui vous est demandé et pour ne pas vous répéter dans vos réponses.

▶ Il est très important de comprendre que les questions de grammaire, de lexique et d'orthographe sont mises au service de la construction du sens. Elles vous aident à trouver la signification du texte. À vous de bien percevoir **la progression d'une question à l'autre**.

Ex. : dans le sujet proposé à Aix-Marseille en juin 2005, série collège, p. 61, on trouve l'enchaînement suivant de questions :
« J'en étais sûre, "ils" ont déjà servi ! » (ligne 36).
a) Que représente « ils » ?
b) Quelle est la classe grammaticale de ce mot ?
c) Pourquoi est-il mis entre guillemets ?
d) Sur quel ton Bonne-maman a-t-elle prononcé cette phrase ?
Commentaire : la première question vous fait trouver que « ils » représente les draps. Il s'agit donc d'un pronom personnel puisqu'il reprend un groupe nominal : c'est la réponse à la deuxième question. La troisième vous invite à réfléchir sur les guillemets qui entourent « ils ». Ils soulignent combien Bonne-maman a insisté sur ce mot. La dernière question vous conduit à définir le ton qu'elle emploie : dégoût bien sûr, mais aussi satisfaction d'avoir, la première, repéré cet indice de saleté.

▶ Les questions de grammaire les plus fréquemment posées portent sur :
– **les modes et les temps verbaux** (dans 15 sujets sur 18 en juin 2006). Vous devez plus particulièrement savoir différencier les temps du passé (imparfait, passé simple, passé composé, plus-que-parfait) et reconnaître les modes impératif et subjonctif ;
– **les valeurs de temps verbaux** (dans 15 sujets sur 18 en juin 2006), le plus souvent celles du présent de l'indicatif, celles du passé simple et de l'imparfait ;
– **la nature et/ou la fonction** de mots, de groupes nominaux, de propositions (dans 8 sujets sur 18 en juin 2006) ;
– **l'organisation de la phrase ou la syntaxe** (dans 6 sujets sur 18 en juin 2006). Il s'agit de repérer les différentes propositions et de dire si elles sont juxtaposées, coordonnées ou subordonnées.

▶ En vocabulaire, les questions les plus fréquentes sont :
– **des relevés justificatifs** (dans tous les sujets de juin 2006). Il s'agit de retrouver dans le texte des expressions qui indiquent un sentiment, une réaction, etc.
Attention ! il faut relever juste ce qui est demandé, pas moins, pas plus :
– **des définitions** de mots ou d'expressions (dans presque tous les sujets en juin 2006). Lisez bien le contexte pour dégager la signification la plus précise possible ;
– **des champs lexicaux** (dans 7 sujets sur 18 en juin 2006). Vous relevez alors tous les mots (noms, adjectifs, verbes, adverbes) qui se rapportent à un thème, un sentiment donné.

▶ Les questions qui portent sur l'écriture du passage demandent le plus souvent de reconnaître :
– **des figures de style** (dans 12 sujets sur 18 en juin 2006). Les figures de style qui vous sont demandées le plus fréquemment sont la comparaison, la métaphore, la mise en relief, parfois la personnification ou l'antithèse ;
– ne confondez pas le **genre d'un texte** (roman, théâtre, autobiographie), demandé dans 5 sujets sur 18 en juin 2006, **les formes de discours** (narratif, descriptif, explicatif, argumentatif) et la **tonalité** (comique, humoristique, ironique) ;
– **des indices de présence du narrateur** (dans 5 sujets sur 18 en juin 2006) : pronoms personnels et adjectifs possessifs de la première personne du singulier, par exemple. On vous demande parfois de préciser toutes les données de la situation de communication (qui parle ? à qui ? où ? quand ? avec quelle visée ?) ;
– **tous les sujets** vous demandent de faire des **hypothèses de lecture**, c'est-à-dire d'interpréter le texte. Vous devez vous fonder sur les réponses qui précèdent : elles vous guideront dans l'interprétation.

Pour l'évaluation spécifique de l'orthographe

▷ **Réfléchissez bien à la consigne donnée** dans l'exercice de réécriture. Elle entraîne des modifications. Vous devez réécrire le texte en faisant toutes les transformations nécessaires, sans en oublier. Le plus souvent on vous demande de changer le temps des verbes et/ou de changer les pronoms sujets (passage de *je* à *il* par exemple). Dans ce cas, n'oubliez pas de modifier les déterminants possessifs (*mon* devient *son*, par exemple) et les pronoms objets (*me* devient *lui*, par exemple).

▷ **Écoutez attentivement** la première lecture de la dictée pour bien comprendre le sens du texte. Soyez attentif aux groupes de mots et aux liaisons faites par celui qui dicte. Relisez plusieurs fois.

Pour la rédaction

▷ **Lisez plusieurs fois le sujet posé** et essayez de bien cerner le rapport qu'il entretient avec l'extrait que vous venez d'étudier : même thème, même situation par exemple.

▷ Déterminez ensuite quelle est la **situation de communication** qui doit être mise en place : qui parle ? à qui ? où ? quand ? et dans quelle intention ?

▷ Réfléchissez enfin aux **formes de discours que vous devez associer.** Le plus souvent il faut raconter et décrire ou raconter et argumenter, mais d'autres combinaisons sont possibles. Pour plus de précisions, consultez les Points clés qui suivent.

▷ Servez-vous du **dictionnaire de langue française** auquel vous avez droit pour cette seconde partie de l'épreuve de français. Cherchez le sens des mots importants du sujet. Pendant l'écriture et la relecture, vérifiez l'orthographe de certains mots et trouvez des synonymes pour éviter les répétitions.

Bon travail !

■ Les Points clés

1. Écrire un récit

▷ Il faut **structurer un récit** :
– la première partie correspond à la situation initiale qui donne le plus de renseignements possibles : qui ? où ? quand ? avec qui ? dans quelles circonstances ? dans quel but ?

– les faits sont ensuite rapportés en plusieurs paragraphes, le plus souvent en suivant un ordre chronologique. Enchaînez les paragraphes par des adverbes variés : *ensuite, puis, alors, néanmoins, enfin,* etc. ;
– on termine en général par quelques lignes qui ferment le récit et qui constituent la situation finale.

▶ **Deux points de vue narratifs** sont possibles :
– récit à la première personne : les faits sont vécus par le narrateur ;
– récit à la troisième personne : le narrateur n'apparaît pas directement.

▶ Un récit peut s'inscrire :
– dans un système où le **présent est le temps de référence.** Les événements passés sont rapportés au **passé composé**, les actions à venir au **futur** ;
– dans un système qui prend comme point de référence un **moment coupé du présent du narrateur.** Les verbes sont surtout au **passé simple** pour les actions de premier plan, à l'**imparfait** pour l'arrière-plan (décor, réflexions).

▶ Vous pouvez **enrichir un récit par des passages** :
– **de dialogue** : voyez le Point clé 3 (Écrire un dialogue) ;
– **de description** : voyez le Point clé 4 (Écrire une description/un portrait) ;
– **d'analyse de sentiments** ;
– **d'argumentation** : ils peuvent intervenir directement dans le récit ou prendre la forme d'un dialogue. Ils doivent toutefois rester assez brefs pour ne pas éloigner trop longtemps l'attention du lecteur de la suite des événements.

2. Écrire une suite de texte

▶ Une suite de texte doit respecter :
– le **type de texte** (réaliste, science-fiction, fantastique) ;
– le **point de vue narratif** (1re ou 3e personne) ;
– l'**époque** où l'auteur a situé l'action ;
– le **lieu** ;
– les **personnages** déjà cités et leurs caractéristiques (âge, caractère, milieu social, façon de parler) ;
– le **ton et la langue** de l'auteur (humour).
Appuyez-vous sur les réponses que vous avez données aux questions.

▶ Il faut donc veiller à :
– ne pas introduire d'anachronismes (pour le XIXe siècle, pas de chaîne hi-fi par exemple) ;
– ne pas trop vous éloigner de l'extrait en perdant de vue les personnages principaux ;

– vous servir de toutes les indications données dans le texte. La dernière phrase est parfois essentielle car elle oriente vers une suite possible ;
– garder un ensemble cohérent même s'il est totalement différent de la fin écrite par l'auteur.

▶ **Commencez votre suite par la dernière ou les deux dernières phrases de l'extrait**, citées sans guillemets.

3. Écrire un dialogue

▶ Dans un dialogue, les personnages parlent au discours direct ; les temps et modes les plus employés sont donc le **présent**, le **passé composé**, le **futur** et l'**impératif**.

▶ Le plus souvent, un dialogue s'insère dans un récit qui présente les locuteurs et les circonstances de la rencontre. Il faut absolument éviter les reparties banales : « Bonjour Margot, ça va ? Oui, ça va, et toi, Anthony ? Oui. » Un dialogue doit **faire avancer l'action, mieux faire connaître les personnages**.

▶ Pour un **dialogue argumentatif**, le schéma à suivre est le suivant :
– 1er locuteur : argument 1 ;
– 2e locuteur : contre-argument 1 + argument 2 ;
– 1er locuteur : contre-argument 2 + argument 3, etc.

▶ La présentation d'un dialogue obéit à une disposition particulière :
– après la dernière phrase du récit, il faut mettre **deux points** (:) et aller **à la ligne** pour la première prise de parole ;
– avant le début de la première réplique, vous devez **ouvrir les guillemets** ;
– lorsque le second personnage intervient, vous allez **à la ligne** et vous commencez par un **tiret**. Pour chaque intervenant, vous suivez les mêmes règles : à la ligne, tiret ;
– **vous ne fermez les guillemets qu'à la fin de l'échange ;**
– avant le dialogue et/ou à l'intérieur, vous employez des **verbes introducteurs de parole**. N'utilisez pas toujours *dire* mais variez en fonction du ton (*reprocher*), de la force de la voix (*crier, murmurer*), du contenu de la réplique (*demander, répondre*) ;
– n'oubliez ni les points d'interrogation ni les points d'exclamation.

▶ Attention à ne pas répéter sans cesse les mêmes prénoms dans la présentation du dialogue ; l'utilisation de **pronoms personnels ou démonstratifs** permet d'éviter les répétitions.

▶ Le **niveau de langue** des répliques doit correspondre au statut des personnages : soutenu ou courant, parfois familier, mais les vulgarités sont à exclure.

4. Écrire une description / un portrait

▶ Une description permet au lecteur de se représenter un lieu, un objet. Décrire une personne, c'est faire son portrait.

▶ La description et le portrait marquent des **temps d'arrêt dans le récit**. Ils permettent souvent de préparer l'action à venir en donnant des indications sur les lieux ou sur le caractère des personnages.

▶ Il existe deux façons d'organiser une description :
– le lieu est évoqué par un **observateur qui se déplace** et qui décrit la réalité qui l'entoure au fur et à mesure qu'il la découvre. Les notations sont enchaînées par des connecteurs temporels comme *d'abord... puis... enfin...*
– le lieu est évoqué par un **observateur immobile**, souvent placé en hauteur, qui voit l'ensemble du paysage. La description est alors organisée par des connecteurs spatiaux : *au loin... à mes pieds... à gauche... à droite...*

▶ Lorsque vous écrivez un portrait, veillez à suivre un ordre : détails physiques puis traits de caractère par exemple. Choisissez les **éléments les plus significatifs** de la personne que vous évoquez. N'oubliez pas de donner l'impression qui se dégage de ce personnage.

▶ Pour décrire, utilisez :
– des **groupes nominaux enrichis** par des adjectifs qualificatifs précis (formes, couleurs, matières...), des compléments de noms, des propositions relatives ;
– des **verbes de perception** (*voir*, mais aussi *distinguer, apercevoir, entendre*, etc.) ;
– des **compléments circonstanciels**.
– Évitez d'employer l'expression *il y a*.

5. Écrire une lettre

▶ Commencez par bien clarifier dans votre esprit :
– **qui envoie la lettre** (l'émetteur) : son prénom, son nom, son âge, son caractère ;
– **qui va recevoir la lettre** (le destinataire) : mêmes caractéristiques, et les liens qu'il a avec l'émetteur (parent, ami, supérieur hiérarchique...) ;
– quand la lettre est écrite : **date** ;
– d'où la lettre est envoyée : **lieu** ;
– **dans quel but la lettre est écrite** : récit d'un événement, demande, expression de sentiments, etc.

▶ La **présentation d'une lettre** obéit à des contraintes précises :
– en haut à droite, lieu et date ;
– plus bas, au milieu de la page, prénom ou titre du destinataire précédé parfois d'un adjectif (*Chère Juliette* ou bien *Monsieur*) ;
– plus bas, décalé par rapport au bord de la page, un paragraphe d'introduction : vous expliquez les circonstances dans lesquelles vous écrivez et les raisons de votre lettre (*déclaration d'amour* ou bien *demande en mariage*) ;
– le contenu fait l'objet de plusieurs paragraphes ;
– dernier paragraphe de conclusion avec une formule de politesse à adapter au destinataire (*Je t'embrasse* ou bien *Je vous prie d'agréer, Monsieur, l'expression de ma considération distinguée*) ;
– signature à adapter à celui qui recevra votre lettre (*Roméo* ou bien *Monsieur Montaigu*).

▶ Le temps de référence dans une lettre est **le présent de celui qui écrit**. Les événements passés sont racontés au **passé composé**, ceux qui vont arriver au **futur**.

6. Écrire un passage argumentatif

▶ Les sujets du brevet 2006 demandent parfois d'insérer un passage argumentatif dans un récit. Il s'agit alors de présenter, sous forme de dialogue ou non, une réflexion ordonnée sur un problème précis.

▶ La **structure du paragraphe argumentatif** est souvent la suivante :
– **Je pense que...** et vous exposez ensuite votre idée ou thèse ;
– **Je prouve** mon opinion en donnant des arguments ;
– **Je l'illustre** par des exemples.

▶ **Donner son opinion ne suffit pas**. Il faut être capable :
– d'envisager d'autres points de vue que le sien et de les discuter ;
– de démontrer ce qu'on avance par des arguments ;
– de trouver des exemples adaptés, tirés de votre expérience, mais aussi de vos lectures, de films, d'émissions télévisées, de l'actualité, de l'Histoire. Variez vos sources d'exemples.

▶ Les exemples sont des **situations concrètes** qui viennent à l'appui de ce que vous venez de dire. Ils sont donnés directement ou introduits par des expressions telles que : *par exemple, on le voit bien quand..., je m'en suis rendu compte lorsque...*

▶ L'essentiel est toujours de donner au passage argumentatif une cohérence et une logique solides, de se garder d'une réflexion hâtive ou trop superficielle et de veiller à l'insérer subtilement dans le reste du récit.

7. Écrire un article de journal

▶ Chaque année, certains sujets vous proposent de rédiger un article de journal, dont le thème est en rapport avec le texte donné dans la première partie de l'épreuve.

▶ Avant de rédiger, commencez par définir clairement certains éléments de la situation de communication :

– **à qui s'adresse le journal ?** Quel âge ont les lecteurs ? Vous n'écrirez pas le même article pour un journal de classe ou pour un quotidien d'information générale ;

– **quel est le contenu de l'article ?** En général, le journaliste commence par présenter des faits, puis il donne son opinion ;

– **dans quel but cet article est-il écrit ?** La visée d'un article est souvent argumentative : il s'agit de convaincre de faire ou de ne pas faire quelque chose.

▶ Lorsque vous rédigez votre article, vous devez penser à :

– **lui donner un titre.** Il doit être bref et donner envie de lire ce qui suit. Ce sont fréquemment des groupes nominaux *(Une disparition mystérieuse)*. Les jeux de mots sont bienvenus *(Haut les nains !* pour un article sur les nains de jardin paru dans la *Nouvelle République du Centre-Ouest*, le 4 juillet 1997) ;

– **l'organiser en paragraphes courts.** La structure d'un article doit être claire. Vous pouvez la souligner par des sous-titres ;

– **utiliser des phrases brèves.** Un article de journal doit être facile et agréable à lire ;

– ne pas signer pour préserver l'anonymat de votre copie.

II. Travailler

sur les sujets

Vassilis Alexakis

Les Mots étrangers
Folio Gallimard, 2003

Le narrateur, écrivain grec ayant appris le français et écrivant ses livres dans les deux langues, a récemment commencé à apprendre le sango, langue parlée en République centrafricaine. Lors d'un séjour en Centrafrique, le narrateur est invité à un débat qui réunit plusieurs personnages autour de Gilbert, l'animateur : l'ambassadeur de France, Sammy (un intellectuel centrafricain), un ministre et un étudiant centrafricains.

Gilbert a passé le micro à l'ambassadeur, et celui-ci s'est adressé à moi :
– Pourquoi avez-vous décidé d'apprendre le sango ?
– Les mots étrangers connaissent des histoires surprenantes. C'est un agrément de les fréquenter. J'étais probablement un peu las[1] de toujours
5 interroger les mêmes mots grecs ou français. J'avais besoin d'entendre autre chose que ce que je savais déjà. Le dictionnaire de sango ne m'a pas moins fasciné que les aventures de Tarzan quand je les lisais adolescent.
Gilbert a donné le micro à Sammy.
– Est-ce qu'il existe des langues inintéressantes ? Des langues qui
10 n'ont rien à dire ? [...] Je ne nie pas les carences du sango. Il a du mal à s'adapter au monde moderne, comme le pays lui-même. Nous avons cependant des linguistes qui s'appliquent à pallier[2] ces insuffisances. À mon sens, ils devraient s'inspirer davantage des langues régionales, du gbaya, du ngbaka, du banda, du zandé.
15 L'étudiant est intervenu sans attendre le micro :
– Ce ne sont pas les linguistes qui font évoluer la langue, mais la rue. Les petits loubards ont davantage contribué à son enrichissement que les universitaires. Les mots qu'ils créent ont tant de succès auprès des couches populaires et des étudiants qu'ils sont sans cesse obligés de mettre
20 au point de nouveaux langages secrets. Ils sont passés du « double sango » au « triple sango », puis au « double triple sango ».
– Je ne crois pas que les enfants des rues soient en mesure d'apporter à la langue les mots scientifiques et techniques qui lui manquent, a observé le ministre.

25   A-t-il pressenti que la question de l'enseignement du sango ne tarde-
rait pas à se poser ? Le fait est qu'il a pris les devants :
    – Dans l'état actuel de l'évolution de notre langue, il serait difficile de
l'utiliser pour l'enseignement de certaines matières.
    J'ai songé aux débats houleux qui avaient lieu en Grèce au temps où
30 la catharévoussa[3] était encore en vigueur, entre ses partisans et ceux du
démotique[4].

---

1. Las : fatigué.
2. Pallier : résoudre de manière provisoire.
3. Catharévoussa : langue officielle de la Grèce jusqu'en 1976.
4. Démotique : (< grec *demos* : le peuple) la langue que les Grecs parlaient mais qu'ils n'avaient
pas le droit d'utiliser à l'école ou dans leurs rapports avec l'administration.

■ Questions (15 points)

I. LE DÉBAT   4,5 POINTS

▶ **1.** Quel est l'objet du débat relaté dans le texte ? *(1 point)*

▶ **2. a)** Comment les propos des intervenants sont-ils rapportés ?
b) Pour quelle raison selon vous ? *(1 point)*

▶ **3. a)** Par quel type de phrase s'adresse-t-on au narrateur ?
b) Qu'est-ce que cela nous apprend sur sa place dans le débat ? *(1 point)*

▶ **4. a)** Comment s'organise la prise de parole lors de ce débat ?
b) Qui trouble cette organisation et de quelle manière ? *(1,5 point)*

II. LES MOTS ÉTRANGERS   5,5 POINTS

▶ **5.** « C'est un agrément de les fréquenter » (lignes 3-4).
a) Remplacez le mot « agrément » par un synonyme.
b) Donnez un mot de la famille d'« agrément » et employez-le dans une
phrase. *(1,5 point)*

▶ **6. a)** Quelles langues le narrateur pratique-t-il couramment ? Quelle
langue a-t-il décidé d'apprendre ?
b) Dans ses propos, citez deux expressions (lignes 3 à 7) qui expliquent
ses motivations.
c) Quel parallèle le narrateur fait-il entre le sango et sa langue maternelle
(lignes 29 à 31) ? *(2 points)*

▶ **7.** « Les mots étrangers connaissent des histoires surprenantes » (ligne 3).
a) Quelle est la figure de style utilisée ? Justifiez votre réponse.
b) Trouvez dans les lignes 3 à 7 un autre exemple de cette figure de style.
c) Comment le narrateur se représente-t-il les mots ? *(2 points)*

III. LE SANGO, LANGUE VIVANTE   5 POINTS

▶ **8. a)** En vous appuyant sur l'intervention de Sammy (lignes 9 à 14), dites quelles sont les insuffisances du sango.
b) Dans le même passage, trouvez un synonyme du mot « insuffisance ». *(1 point)*

▶ **9. a)** « ils devraient s'inspirer… » (ligne 13).
Quels sont le mode et le temps du verbe conjugué ? Justifiez l'emploi de ce mode.
b) Quelles propositions Sammy et l'étudiant font-ils respectivement pour développer le sango ? Justifiez votre réponse en vous appuyant sur le texte. *(2 points)*

▶ **10.** « Les mots qu'ils créent ont tant de succès auprès des couches populaires et des étudiants qu'ils sont sans cesse obligés de mettre au point de nouveaux langages secrets » (lignes 18 à 20).
Réécrivez cette phrase en remplaçant la conjonction de subordination par une conjonction de coordination de même valeur, en faisant les transformations nécessaires. *(1 point)*

▶ **11.** « Les petits loubards ont davantage contribué à son enrichissement que les universitaires » (lignes 17-18).
Que pensez-vous de cette affirmation ? Justifiez votre opinion dans une réponse argumentée. *(1 point)*

■ Réécriture (4 points)

Vous récrirez les paroles de l'étudiant des lignes 16 à 21 au futur de l'indicatif et en remplaçant « la langue » par « les langues ». Vous ferez toutes les modifications nécessaires. Toutes les erreurs de copie seront sanctionnées.

■ Dictée (6 points)

Vassilis Alexakis
Les Mots étrangers
Folio Gallimard, 2003

Il est bien agréable de former des phrases dans une langue qu'on commence à peine à découvrir. Ce sont forcément des phrases toutes simples qui n'exigent aucune réflexion et n'ont aucune prétention littéraire. Cela repose l'esprit d'écrire sans chercher à s'exprimer, sans penser à soi, de réunir des mots sans raison. Cela rend la plume plus légère et la main plus hardie car on se sent en même temps débarrassé de la crainte détestable de faire des fautes. Je suis sûr que l'auteur du dictionnaire me pardonnerait volontiers mes maladresses si j'avais l'occasion de lui soumettre mes tentatives.

———————————

On précisera que le narrateur est un homme.

■ Rédaction (15 points)

Sujet

Vous participez au débat et vous intervenez pour expliquer quelle langue étrangère vous aimeriez apprendre ou vous avez aimé apprendre. Vous justifiez votre opinion et enrichissez vos arguments en vous appuyant sur les sensations, les émotions, les images… que cette langue suscite en vous.

Consignes

Votre texte sera argumentatif et inclura quelques interventions des autres participants au débat.
Il sera tenu compte dans l'évaluation de la correction de la langue et de la présentation.

Découvrir le sujet

▶ Les questions
Grammaire
- Discours rapporté.
- Temps et modes verbaux.
- Transformation en proposition coordonnée.

- Type de phrases.
- Valeurs des temps verbaux.

Vocabulaire
- Famille de mots.
- Relevés justificatifs.
- Sens de mots ou d'expressions.
- Synonymes.

Écriture
- Figure de style.
- Hypothèses de lecture.

▶ **La rédaction**
- Lisez les Points clés 3 et 6.
- Veillez à utiliser un niveau de langue assez soutenu, comme dans le texte de Vassilis Alexakis.

Grégoire Bouillier

Rapport sur moi
Éditions Allia, 2002

Le narrateur de ce texte est Grégoire Bouillier. Il indique dans les premières pages du livre : « Sur le livret de famille de mes parents, il est écrit que je suis né le 22 juin 1960. »

Treize ans. Chaque matin, je déniche un caillou en bas de chez moi et tape dedans jusqu'à la rue Clerc, dans le quartier du Gros Caillou, où se trouve mon collège. Malgré toutes les embûches qui nous guettent, je le conduis à bon port, heureux de lui permettre de voyager. Il me semble
5 que je modifie ainsi quelque chose d'immuable dans l'ordre de l'univers. Une voiture manque une fois de m'écraser alors que je vais le récupérer au milieu de la place de l'Alma. Nous nous séparons invariablement à l'angle de la rue Clerc, où je le fais alors basculer dans une bouche d'égout. Chaque fois je lui souhaite bonne chance. J'imagine les fantastiques voya-
10 ges qu'il va connaître, tandis que je suis contraint de rester ici. Au moins lui va vivre des aventures. Et c'est grâce à moi. Il est mon représentant vers l'ailleurs. On se reverra peut-être. Avant de le faire disparaître dans la bou-che d'égout, il m'arrive de l'embrasser passionnément. Ce rituel dure toute une année scolaire.
15 C'est cette année-là que Béatrice parut. La mixité venait d'être intro-duite dans les établissements scolaires français et elle fut la seule à venir dans notre classe. Notre dépit ne dura guère : elle était une eau vive et, à la voir, on pouvait croire aux champs de mimosas en plein Paris. Elle n'était pas farouche. [...]
20 En quelques jours toute la classe lui mangeait dans la main. Elle n'avait qu'à faire un geste et dix visages se précipitaient. C'était à qui por-terait son sac, ferait ses devoirs, lui offrirait des babioles. Béatrice riait. Offrait ses faveurs sans jamais les accorder. Organisait les rivalités. Le nombre des prétendants la protégeait. Je refusai d'en faire partie. Cette
25 mascarade m'exaspérait. Je ricanais de voir ramper mes camarades pour lui complaire. En présence de Béatrice, ils se répandaient en guimauve ; mais plaisantaient grassement dès qu'ils se retrouvaient entre eux.

Je ne voulais pas faire le beau. Pas même y songer. Je préférais encore être désagréable. <u>Un jour qu'elle me demandait de porter son sac, je rétor-</u>
30 <u>quai que ce n'était pas les laquais</u>[1] qui lui manquaient. Que m'importaient ses éblouissants sourires s'ils étaient la récompense d'un avilissement de caniche ? Si je n'avais pas la prétention de sortir du lot, j'avais celle de n'en pas faire partie.

De tous les prétendants, ce fut pourtant moi que Béatrice choisit !

---

1. Laquais : valets, serviteurs.

■ Questions (15 points)

I. UN RÉCIT DE VIE   5 POINTS

▶ **1.** Le récit se situe dans une ville : relevez quatre indices de lieu qui le montrent. *(0,5 point)*

▶ **2.** Déduisez l'année durant laquelle se déroule l'histoire. *(0,5 point)*
Quelle réforme scolaire évoquée dans le texte a eu lieu cette année-là ? *(0,5 point)*

▶ **3.** « manque » (ligne 6) : quelle est la valeur de ce temps ? *(0,5 point)*
Citez les temps du récit qui sont utilisés dans le deuxième paragraphe en donnant un exemple pour chacun. *(1 point)*

▶ **4. a)** Montrez que le narrateur et l'auteur sont la même personne. *(0,5 point)*
b) À quel genre littéraire appartient ce texte ? *(0,5 point)*
« Nous » (ligne 7) : quelle est la nature de ce mot ? Qui représente-t-il ? *(0,5 point)*
« Notre [dépit] » (ligne 17) : quelle est la nature de ce mot ? Qui représente-t-il ? *(0,5 point)*

II. LE RITUEL   5 POINTS

▶ **5. a)** Dans le premier paragraphe, relevez au moins trois expressions (deux groupes nominaux et un adverbe) qui montrent que le narrateur reproduit toujours les mêmes gestes. *(0,75 point)*
b) Quel temps est employé pour évoquer ce « rituel » ? *(0,5 point)*

▶ **6.** « immuable » (ligne 5) : identifiez et nommez les trois éléments qui forment ce mot. *(0,75 point)*

Expliquez le sens de la phrase : « Il me semble que je modifie ainsi quelque chose d'immuable dans l'ordre de l'univers » (lignes 4-5) en vous appuyant sur le contexte. *(0,5 point)*

▶ **7.** Dans les lignes 9 à 14, relevez trois pronoms personnels différents ayant des fonctions différentes que vous préciserez. *(1,5 point)*
En vous appuyant sur le texte, vous expliquerez quel comportement le narrateur adopte avec le caillou. *(1 point)*

III. LE PORTRAIT DE BÉATRICE   5 POINTS

▶ **8.** « Notre dépit ne dura guère : elle était une eau vive » (ligne 17).
Quelle figure de style est utilisée ici ? *(0,5 point)*
Remplacez les deux points par un mot de votre choix. *(0,25 point)*
Donnez la nature de ce mot et le lien logique qu'il exprime. *(1 point)*

▶ **9.** « …toute la classe lui mangeait dans la main » (ligne 20) : cette expression est-elle employée au sens propre ou au sens figuré ? Quel sens lui donnez-vous ? *(0,5 point)*

▶ **10.** « …dix visages se précipitaient » (ligne 21) : expliquez pourquoi l'emploi du mot « visage » est une métonymie dans cette phrase. Quel effet produit cette figure de style ? *(1 point)*

▶ **11.** « Béatrice riait. Offrait ses faveurs sans jamais les accorder. Organisait les rivalités » (lignes 22-23). Quelle est la particularité grammaticale des deux dernières phrases ? *(0,25 point)*
Que suggère cette particularité à propos du caractère de Béatrice ? *(0,5 point)*

▶ **12.** La phrase soulignée aux lignes 29-30 est au discours indirect. Transposez-la au discours direct en faisant les transformations nécessaires. *(1 point)*

■ Réécriture (5 points)

« …où je le [le caillou] fais alors basculer dans une bouche d'égout » (ligne 8).
Continuez la transposition au passé jusqu'à « On se reverra peut-être » (ligne 12). Le mot « caillou » et ses représentants seront mis au pluriel.

■ Dictée (5 points)

Grégoire Bouillier
Rapport sur moi
Éditions Allia, 2002

Ce fut pourtant moi que Béatrice choisit !

À la fin de l'année scolaire, elle me prit par la main à la sortie des classes et m'entraîna dans un square. Le soleil de juin l'illuminait. Elle fut la première que j'embrassai de ma vie. [...] Au début cela me désarçonna ; puis je trouvai tout merveilleux. Cela se passait sous un grand marronnier, qui n'a plus osé bouger depuis. À la fin de la semaine, Béatrice partit en vacances. Tout l'été je songeai à elle.

À la rentrée suivante j'arrivai le premier jour au collège. J'avais hâte de la retrouver. Mais elle avait changé d'établissement. Je ne fus pas plus surpris que cela. Depuis longtemps j'étais familier des disparitions.

■ Rédaction (15 points)

Dans un texte autobiographique, Béatrice devenue adulte raconte son arrivée dans l'école. Elle rapporte ses impressions et fait le portrait de deux de ses admirateurs, dont l'un est le narrateur. Avec le recul des années, elle essaie d'expliquer son comportement.

Votre texte sera rédigé à la première personne du singulier et fera une utilisation variée des temps du récit (imparfait, passé simple, présent de narration).

Découvrir le sujet

▶ Les questions

Grammaire

– Discours rapporté.

– Nature et fonction.

– Rapport logique.

– Référent d'un pronom.

– Temps et modes verbaux.

– Valeurs des temps verbaux.

Vocabulaire
– Champ sémantique.
– Formation de mots.
– Relevés justificatifs.
– Sens de mots ou d'expressions.

Écriture
– Figure de style.
– Genre du texte.
– Hypothèses de lecture.
– Indices de lieu.
– Indices de temps.

▶ La rédaction

• Le sujet vous demande de développer trois formes de discours : narratif, descriptif et explicatif.

• Avant de rédiger le portrait des admirateurs de Béatrice, lisez le Point clé 4.

Bernard Clavel

Les Petits Bonheurs
Éditions Albin Michel, S.A. Bernard Clavel et Josette Pratte, 1999

Parmi les personnages de mon enfance, il en est un dont j'ai déjà, à plusieurs reprises, évoqué le souvenir, c'est le père Vincendon. Ce vieux luthier[1], facteur de pianos[2], avait la passion de son métier. Je n'ai compris que trop tard ce qu'il voulait m'enseigner quand il me disait qu'il était
5 amoureux du bois.

Son atelier aux odeurs étranges, sa chambre à coucher dont les murs et le plafond étaient constellés d'hirondelles qu'il avait sculptées et peintes en noir, sa manie de se lever à minuit pour travailler et de se coucher à trois heures de l'après-midi, tout ce qui m'a tant étonné enfant me paraît
10 aujourd'hui tout à fait naturel.

Vincendon vivait sur une planète où nul autre humain ne pouvait accéder. Il se tenait dans le rêve d'une musique qu'il était seul à entendre. Il faut dire que ni ses yeux ni ses mains ne ressemblaient aux yeux et aux mains des autres hommes. Même lorsqu'il était très heureux, son regard
15 semblait embué de larmes. Quant à ses doigts spatulés[3], énormes, durs, aux ongles bosselés et crevassés, il semblait toujours qu'ils allaient laisser tomber ce qu'ils empoignaient. Pourtant, Vincendon était d'une adresse folle. Tout ce qu'il saisissait se métamorphosait. Avec la pointe d'un couteau, il pouvait faire jaillir d'un bouchon de bouteille une tête de femme,
20 un petit père Noël avec sa hotte ou un animal étrange.

Je devais avoir cinq ou six ans lorsque mon père me conduisit chez lui pour la première fois, pourtant, cette visite de son appartement-atelier est en moi comme si elle datait d'hier. Je revois son établi, ses panoplies d'outils, ses armoires bourrées de pots, de boîtes, d'instruments bizarres. L'odeur, les cou-
25 leurs, les bruits, tout est là. Et, parmi les bruits, celui que ses grosses mains faisaient en caressant le bois ! Une espèce de râpement à la fois sourd et curieusement sonore. Vincendon vivait du bois et pour le bois. Il pouvait, de ses énormes mains, accomplir les travaux les plus minutieux. […]

Bien entendu, Vincendon ignorait les machines. Il avait même fabri-
30 qué la plupart des outils qu'il utilisait. S'il acceptait de travailler les

métaux, c'était uniquement pour pouvoir les mettre au service du bois. Car pour lui, le bois était la seule matière noble. Le bois était digne de l'homme, mais l'homme devait savoir se montrer digne du bois.

---

1. Luthier : fabricant d'instruments de musique à cordes.
2. Facteur de pianos : fabricant de pianos.
3. Spatulés : en forme de cuillère aplatie.

■ Questions (15 points)

▶ **1.** Quel pronom personnel le narrateur utilise-t-il pour raconter les souvenirs de son enfance ?
Justifiez votre réponse en relevant un élément du texte. *(1 point)*

▶ **2.** Dans le texte, le narrateur parle d'une autre personne. De qui s'agit-il ? Quel est son métier ? *(2 points)*

▶ **3.** Pourquoi le narrateur dit-il que « ni ses yeux ni ses mains ne ressemblaient aux yeux et aux mains des autres hommes » (lignes 13-14) ? *(3 points)*

▶ **4.** Pour chacun des mots ci-dessous, quel terme correspond le mieux à leur sens dans le texte ?
Réécrivez le mot sur votre copie. *(3 points)*
a) « passion » (ligne 3) :
– haine ;
– affection ;
– amour.
b) « se métamorphosait » (ligne 18) :
– restait pareil ;
– se transformait ;
– disparaissait.
c) minutieux (ligne 28) :
– quelconques ;
– précis ;
– réguliers.

▶ **5.** Parmi les cinq sens (la vue, l'ouïe, le toucher, l'odorat et le goût), citez-en trois utilisés par le narrateur pour décrire l'appartement-atelier de Vincendon (lignes 21 à 28).
Illustrez chacune de vos réponses par un exemple. *(3 points)*

▶ **6.** « Je **devais** avoir cinq ou six ans lorsque mon père me **conduisit** chez lui pour la première fois, pourtant, cette visite de son appartement-atelier est en moi comme si elle **datait** d'hier » (lignes 21 à 23)

a) Quels sont les temps des verbes employés (**en caractères gras**) dans cette phrase ?

b) Justifiez l'emploi de chacun de ces temps. *(3 points)*

■ Réécriture (5 points)

▶ **1.** Réécrivez au présent de l'indicatif le passage suivant : « Vincendon vivait sur une planète où nul autre humain ne pouvait accéder. Il se tenait dans le rêve d'une musique qu'il était seul à entendre » (lignes 11-12). *(2 points)*

▶ **2.** Réécrivez à la première personne du singulier (*je*) le passage suivant : « Il avait même fabriqué la plupart des outils qu'il utilisait. S'il acceptait de travailler les métaux, c'était uniquement pour pouvoir les mettre au service du bois » (lignes 29 à 31). *(3 points)*

■ Dictée (5 points)

Bernard Clavel
Les Petits Bonheurs
Éditions Albin Michel, S.A. Bernard Clavel et Josette Pratte, 1999

Mon père ouvrait les volets ; alors tout cet univers poussiéreux de bois et d'outillage s'éveillait. Pour pouvoir travailler en paix, il prenait une planche arrachée à une vieille caisse, la fixait dans la presse de l'établi qu'il n'avait pas l'intention d'utiliser et me donnait un rabot. Perché sur un petit banc je me mettais à l'œuvre.

───────────

On précisera que le narrateur est un homme.

■ Rédactions au choix (15 points)

Sujet 1 (sujet d'imagination)

Comme le narrateur dans le texte, décrivez en une vingtaine de lignes un lieu ou une personne qui vous a marqué par son originalité, son caractère surprenant.

Sujet 2 (sujet de réflexion)

Quel métier aimeriez-vous exercer plus tard ?
Dans un texte d'une vingtaine de lignes, présentez ce métier puis donnez les raisons de votre choix.

Consignes

Pour la rédaction du sujet 1 :

Pour réaliser votre description, vous tiendrez compte des conseils suivants :
Vous préciserez les circonstances dans lesquelles vous avez découvert ce lieu ou cette personne.
Vous utiliserez plusieurs des cinq sens (vue, odorat, ouïe, toucher, goût) pour décrire.
Vous rédigerez votre description à la première personne du singulier (je).
Vous respecterez les règles d'orthographe et de grammaire.
Vous vérifierez que vos phrases sont bien ponctuées.
Vous soignerez la présentation et l'écriture.
Vous rédigerez un texte d'au moins vingt lignes.

Pour la rédaction du sujet 2 :

Pour rédiger votre texte, vous tiendrez compte des conseils suivants :
Vous rédigerez votre texte sous forme de deux paragraphes : dans le premier, vous présenterez ce métier, et dans le second, vous donnerez les raisons de votre choix.
Vous donnerez des explications et des exemples.
Vous rédigerez votre texte à la première personne du singulier (je).
Vous respecterez les règles d'orthographe et de grammaire.
Vous vérifierez que vos phrases sont bien ponctuées.
Vous soignerez la présentation et l'écriture.
Vous rédigerez un texte d'au moins vingt lignes.

Découvrir le sujet

▶ Les questions

Grammaire

– Temps et modes verbaux.
– Valeurs des temps verbaux.

Vocabulaire

– Relevés justificatifs.
– Sens de mots ou d'expressions.

Écriture

– Hypothèses de lecture.
– Indices de présence du narrateur.

▶ Les rédactions

Sujet 1

• Lisez le Point clé 4 : « Écrire une description, un portrait ».

• Lisez très attentivement les consignes données après le sujet ; les trois premiers points vous donnent des indications précises sur ce que vous devez écrire.

Sujet 2

• Lisez le Point clé 6 : « Écrire un passage argumentatif ».

• Le sujet vous indique clairement le plan de votre devoir.

Philippe Labro
Le Petit Garçon
Gallimard, 1990

    – Au tableau !
    Les deux mots redoutés semblent revenir à une cadence normale. À chaque fois, il faut s'extraire de sa chaise, marcher jusqu'à l'estrade, s'y tenir droit, faire face à la salle de classe, selon l'ordre donné par le profes-
5 seur (« Regardez vos camarades, ne me regardez pas ») et répondre à des questions ou se taire, si l'on ne sait pas :
    – Au tableau !
    On dirait que mon nom est le plus souvent cité et que la classe tout entière n'a attendu que cette minute pour me voir silencieux, hésitant,
10 ignare, ou mieux encore pour m'entendre livrer mes maigres connaissances, avec ce terrible « accent du Midi » qui déclenche les sourires dédaigneux, les rires mal étouffés, les contorsions apitoyées. À peine ouvré-je la bouche qu'un murmure parcourt les rangs, un frémissement s'annonce, comme une vague qui ondule. Et la panique m'atteint.
15   – Silence ! Laissez répondre le malheureux !
    Tout a changé, et ce qui semblait simple et facile prend les allures d'une compétition insurmontable à laquelle rien ni personne ne m'a préparé. Comme si, chaque jour, il fallait passer un examen.
    Là-bas, autrefois, dans le petit lycée[1] de la petite ville, j'avais le senti-
20 ment de flotter au-dessus des élèves de mon âge et je me moquais sans méchanceté de l'épaisseur de leur accent, aussi gras qu'une tranche de lard, aussi lourd que les sabots de leurs pères. Nous partagions avec mes frères et sœurs un sentiment inavoué de supériorité, la conscience d'une différence entre nos camarades et nous. Mais voici que ce qui servait de
25 prétexte à nos jeux et nos imitations se retourne contre moi. Je suis devenu l'acteur central de cette comédie cruelle dont jusqu'ici j'avais été un observateur détaché et suave. Que se passe-t- il ? Je parle comme un plouc, un « petit provincial », un « connaud ».
    Tout a changé : ceux qui sont censés nous instruire, les professeurs, ne
30 m'appellent pas par mon prénom. Je ne sais pas où ils habitent. Ils dispa-

raissent par le métro, l'autobus, à peine puis-je les reconnaître quand je les retrouve quelques jours plus tard. Je ne les rencontre pas chez le boulanger, ou sur le chemin qui mène à notre domicile. Mais la distance, cet aspect impersonnel de ma relation avec eux ne me heurterait pas tant si
35 je trouvais quelque réconfort, chaleur et complicité auprès de ceux que les professeurs appellent, à tort, mes « camarades ». Je les envisage plutôt, dans un premier temps, comme des adversaires, des étrangers.

---

1. Le petit lycée : correspond à notre collège d'aujourd'hui.

■ Questions (15 points)

I. UNE SCÈNE MARQUANTE   6 POINTS

▶ **1.** « Regardez vos camarades, ne me regardez pas » (ligne 5) et « Laissez répondre le malheureux ! » (ligne 15).
En vous appuyant sur le contexte, définissez précisément la situation d'énonciation de ces deux phrases. *(1 point)*

▶ **2.** Lignes 1 à 7 :
Par qui semble être décrite cette scène ?
Citez un des indices sur lequel vous pouvez appuyer votre réponse. *(1 point)*

▶ **3.** Lignes 1 à 15 :
Relevez les paroles rapportées.
Dans ces phrases injonctives, comment sont exprimés les ordres du professeur sur le plan grammatical ? *(2 points)*

▶ **4.** « À peine ouvré-je la bouche qu'un murmure […] m'atteint » (lignes 12 à 14).
a) Nommez une figure de style présente dans ces phrases. *(0,5 point)*
b) Quelle est la classe grammaticale de « Et » (ligne 14) ?
Quelle relation logique « Et » exprime-t-il avec le reste du paragraphe ? *(1 point)*
c) En quoi cela éclaire-t-il l'état d'esprit du narrateur adolescent ? *(0,5 point)*

II. JADIS ET NAGUÈRE   5 POINTS

▶ **5.** « Tout a changé » (lignes 16 et 29).
a) Quelle est la valeur de ce passé composé ? *(0,5 point)*

b) Des changements sont intervenus dans la vie du personnage élève :
Vous les expliquerez en reproduisant et en complétant le tableau suivant.
(1 point)

Avant	Après
...	...

▶ **6. a)** Lignes 24 à 27 : Relevez dans ces lignes les termes du champ lexical dominant dans ce texte. *(1 point)*
b) Quel est l'antécédent du pronom relatif « dont » (ligne 26) ?
Quelle est la fonction de ce pronom ?
À partir de là, décrivez le changement qui intervient. *(1,5 point)*

▶ **7. a)** « petit provincial », « connaud » (ligne 28).
Justifiez l'emploi des guillemets. *(0,5 point)*
b) Quelles moqueries le personnage formulait-il lui-même autrefois envers ses petits camarades ? *(0,5 point)*

III. UN CERTAIN REGARD SUR LE PASSÉ   4 POINTS

▶ **8. a)** Quelle est la valeur du temps dominant dans ce récit ? *(0,5 point)*
b) « Je suis devenu l'acteur central de cette comédie cruelle dont jusqu'ici j'avais été un observateur détaché et suave » (lignes 25 à 27).
Les deux pronoms renvoient-ils exactement au même personnage ? *(1 point)*

▶ **9. a)** Relevez l'adjectif qui caractérise la « comédie » (ligne 26) et donnez un nom de la même famille. *(0,5 point)*
b) Quelle leçon tirez-vous de ce texte ?
Le narrateur juge-t-il de la même manière l'attitude de l'enfant qu'il a été ? Appuyez-vous sur un indice. *(1 point)*

▶ **10.** En vous appuyant sur l'énonciation et le paratexte, dites à quel genre littéraire ce texte peut appartenir. *(1 point)*

■ Réécriture (3 points)

« À peine ouvré-je la bouche qu'un murmure parcourt les rangs, un frémissement s'annonce, comme une vague qui ondule » (lignes 12 à 14).
Vous réécrirez cette phrase :
– en mettant tous les sujets des verbes au pluriel ;
– en mettant le premier verbe au passé simple ;
– en opérant pour tous les autres les modifications nécessaires.

■ Dictée (7 points)

Gustave Flaubert
Madame Bovary
1857

Il se leva ; sa casquette tomba. Toute la classe se mit à rire.

Il se baissa pour la reprendre. Un voisin la fit tomber d'un coup de coude, il la ramassa encore une fois.

– Débarrassez-vous donc de votre casque, dit le professeur, qui était un homme d'esprit.

Il y eut un rire éclatant des écoliers qui décontenança le pauvre garçon, si bien qu'il ne savait s'il fallait garder sa casquette à la main, la laisser par terre ou la mettre sur sa tête. Il se rassit et la posa sur ses genoux.

– Levez-vous, reprit le professeur, et dites-moi votre nom.

Le nouveau articula, d'une voix bredouillante, un nom inintelligible.

– Répétez !

Le même bredouillement de syllabes se fit entendre, couvert par les huées de la classe.

■ Rédaction (15 points)

Un camarade de province assiste à la scène… Il se souvient alors que le narrateur plus jeune se moquait des autres.

Il raconte cette scène. Il s'interroge sur ce qu'il doit en penser.

Ce texte pourrait prendre place soit dans son journal intime si la scène est racontée au moment des faits, soit dans son autobiographie, si la scène est racontée beaucoup plus tard.

Découvrir le sujet

▶ **Les questions**
Grammaire
– Nature et fonction.
– Rapport logique.
– Reprises pronominales.
– Syntaxe.
– Valeurs des temps verbaux.

Vocabulaire
– Champ lexical.
– Famille de mots.
– Relevés justificatifs.

Écriture
– Figure de style.
– Genre du texte.
– Hypothèses de lecture.
– Indices de présence du narrateur.
– Indices de temps.
– Ponctuation.
– Situation de communication.

▶ La rédaction

• Lisez le Point clé 1.

• Si vous choisissez d'écrire un texte autobiographique, n'oubliez pas d'inclure les réflexions du narrateur adulte qui se souvient de son passé.

Claude Michelet

Une fois sept, 1970
Robert Laffont, 1983

Dans cette œuvre autobiographique, l'auteur relate un voyage familial réunissant sa grand-mère, qu'il appelle Bonne-maman, sa sœur aînée Françoise et ses autres frères et sœurs.

Françoise, qui venait d'obtenir son permis de conduire, nous proposa d'effectuer le trajet en deux étapes. Nous nous pliâmes aux désirs du chauffeur et embarquâmes dans la vieille onze[1] familiale. Bonne-maman installa à portée de main sa provision de morceaux de sucre et sa bouteille
5 d'alcool de menthe[2] puis donna le feu vert.

— Et surtout, sois prudente ! recommanda-t-elle à Françoise.

Pauvre Françoise, la route fut pour elle un long calvaire, car Bonne-maman, non contente de tout ignorer de la conduite, se piquait en plus de donner des conseils.

10 — Attention au tournant… Prends garde à la voiture qui vient… Regarde ta route… Ne va pas si vite… Ne te laisse pas distraire par tes sœurs et vous, ne lui parlez pas… Laisse-le nous dépasser, va, nous avons le temps… Ralentis.

De temps à autre et pour se défouler, Françoise proposait hargneuse-
15 ment de céder sa place, mais Bonne-maman étant sourde, cette redoutable proposition n'avait, Dieu soit loué, aucune chance d'aboutir.

En dépit de ce double pilotage, nous arrivâmes sans encombre jusqu'à Arles où nous nous arrêtâmes pour passer la nuit. Peu habitués à fréquenter les hôtels, mis à part le *Claridge*, nous choisîmes naïvement un boui-
20 boui[3] de dernière classe. Bonne-maman s'en aperçut trop tard et bouda le dîner en guise de représailles. Elle était très polie et ne fit aucune réflexion désobligeante à haute voix mais nous en chuchota quelques-unes comme chuchotent les sourds, c'est-à-dire que toutes les personnes présentes dans la salle à manger se tournèrent vers nous lorsque notre
25 grand-mère nous dit en confidence :

— Ces haricots verts de conserve sont pleins de fils et toute cette huile d'olive me restera sur l'estomac !

Cet aveu, des plus discrets, fut sans doute entendu jusqu'aux cuisines car, sans doute pour faire bonne mesure, la salade qu'on nous servit par
30 la suite flottait sur un bain d'huile.

Bonne-maman pinça les lèvres et garda le silence jusqu'à la fin du repas. Elle se rattrapa et donna libre cours à son indignation lorsque nous prîmes possession de nos chambres. Elle ouvrit tous les lits, scruta les draps d'un œil soupçonneux et déclara enfin d'une voix non dépourvue
35 d'une légère satisfaction :

– J'en étais sûre, « ils » ont déjà servi !

Partant de là, il va de soi que les matelas se révélèrent avachis, les sommiers défoncés, l'éclairage pisseux, le lavabo bouché et le petit coin douteux. En résumé, notre grand-mère nous affirma qu'elle ne pourrait fer-
40 mer l'œil de la nuit. Malgré tout, comme il était grand temps de dormir, elle déposa une de ses serviettes de toilette sur son oreiller, nous expliqua qu'elle s'isolait ainsi de la crasse, paraît-il visible sur la taie, puis se coucha. Elle le fit avec une répugnance manifeste[4], ce qui ne l'empêcha pas de dormir d'une seule traite.

_____

1. Vieille onze : il s'agit d'une « Traction », une automobile Citroën des années quarante et cinquante.
2. Alcool de menthe : alcool qui aide à lutter contre le mal des transports. On le prend à raison de quelques gouttes versées sur un morceau de sucre.
3. Boui-boui : établissement de qualité médiocre.
4. Répugnance manifeste : dégoût évident.

■ Questions (15 points)

I. LE VOYAGE   5 POINTS

▶ **1.** « Françoise, qui venait d'obtenir son permis de conduire, nous proposa d'effectuer le trajet en deux étapes » (lignes 1-2).
Relevez la proposition subordonnée présente dans cette phrase et précisez sa nature. En quoi l'information donnée par cette subordonnée annonce-t-elle la suite du texte ? *(1,5 point)*

▶ **2.** Étudiez la construction du troisième paragraphe (ligne 10 à 13), en précisant le mode verbal dominant, la longueur des phrases et la ponctuation. Quel est l'effet produit sur l'entourage de Bonne-maman ? *(1,5 point)*

▶ **3.** Comment l'adverbe « hargneusement » (lignes 14- 15) est-il formé ? À partir de votre réponse, précisez quel est l'état d'esprit de Françoise au cours de ce voyage. *(1 point)*

▶ **4.** « ...la salade qu'on nous servit par la suite flottait sur un bain d'huile » (lignes 29-30).
Quelle est la figure de style employée ici ? En quoi souligne-t-elle la première impression laissée par l'hôtel ? *(1 point)*

II. BONNE-MAMAN   5 POINTS

▶ **5.** Quelle est l'infirmité de Bonne-maman ? En quoi cette infirmité joue-t-elle un rôle dans la progression du récit ? *(1 point)*

▶ **6.** « Ces haricots verts de conserve sont pleins de fils et toute cette huile d'olive me restera sur l'estomac ! » (lignes 26-27).
Mettez cette phrase au style indirect en commençant par : « Notre grand-mère nous déclara que... ».
Dites laquelle des deux formulations vous préférez. Votre réponse sera argumentée. *(1,5 point)*

▶ **7.** « Partant de là, il va de soi que les matelas se révélèrent avachis, les sommiers défoncés, l'éclairage pisseux, le lavabo bouché et le petit coin douteux » (lignes 37 à 39).
Quels sont les termes qui qualifient les éléments du décor ? Quel type de jugement traduisent-ils de la part de Bonne-maman ? *(1 point)*

▶ **8.** En prenant appui sur le texte et sur vos réponses aux questions précédentes, dites quels sont les traits de caractère de Bonne-maman. *(1,5 point)*

III. UN REGARD AMUSÉ   5 POINTS

▶ **9.** « J'en étais sûre, "ils" ont déjà servi ! » (ligne 36).
Que représente « ils » ? Quelle est la classe grammaticale de ce mot ? Pourquoi est-il mis entre guillemets ? Sur quel ton Bonne-maman a-t-elle prononcé cette phrase ? *(2 points)*

▶ **10.** À quel genre de portrait appartient la description de la grand-mère, si l'on considère la critique que Claude Michelet fait de l'attitude et du caractère du personnage ? *(1 point)*

▶ **11.** Relevez dans le texte quelques marques de l'intervention du narrateur adulte. Celui-ci ne semble pas ressentir l'agacement qui devait être le sien quand il était enfant. Pourquoi ? *(2 points)*

■ Réécriture (4 points)

« En dépit de ce double pilotage, nous arrivâmes sans encombre jusqu'à Arles où nous nous arrêtâmes pour passer la nuit. Peu habitués à fréquenter les hôtels, mis à part le *Claridge*, nous choisîmes naïvement un bouiboui de dernière classe » (lignes 17 à 20).

Réécrivez ce passage en conjuguant les verbes au passé composé et en remplaçant « nous » par « elles ». Vous ferez toutes les modifications nécessaires.

■ Dictée (6 points)

Claude Michelet
Une fois sept, 1970
Robert Laffont, 1983

Bonne-maman ouvrit son parapluie et, très droite sur son banc, fixa la mer d'un œil sévère. Elle n'était pas belle la mer, oh non, pas belle du tout ! La Méditerranée s'était mise en frais en notre honneur et roulait d'impressionnantes vagues. Tout alla à peu près bien tant que nous fûmes dans le bassin du port ; nous avions déjà les pieds dans l'eau, mais ce n'était pas encore angoissant.

La danse commença dès que nous eûmes franchi la passe. Nous mesurâmes soudain à quel point notre embarcation était petite, délabrée, surchargée. Le patron se cramponna à la barre et augmenta le régime du moteur, l'oncle Marc s'épongea fébrilement le front, mes sœurs et moi nous nous regardâmes avec une certaine inquiétude et c'est alors que Bonne-maman sortit son chapelet.

Écrire au tableau : Bonne-maman, oh non, Méditerranée, Marc.

■ Rédaction (15 points)

Sujet

Quelques jours après être arrivés sur leur lieu de vacances, Bonne-maman et ses petits-enfants visitent un village touristique. Fidèle à elle-même, la vieille dame se montre critique et exaspérante. Imaginez ce nouvel épisode dans lequel Françoise essaie de prouver à sa grand-mère sa mauvaise foi en lui reprochant son attitude. Cet échange se fera sous le regard amusé du narrateur.

Consignes

Votre devoir présentera brièvement les circonstances et les lieux dans lesquels se déroule l'épisode.

Il insistera sur le portrait en situation du personnage, au cours d'une vive discussion entre Françoise et Bonne-maman.

Il devra respecter le mode d'énonciation et le niveau de langue du texte de Claude Michelet.

Découvrir le sujet

▶ **Les questions**

Grammaire
- Discours rapporté.
- Expansions du nom.
- Nature et fonction.
- Temps et modes verbaux.
- Référent d'un pronom.

Vocabulaire
- Formation d'un mot.
- Relevés justificatifs.
- Sens de mots ou d'expressions.

Écriture
- Figure de style.
- Forme de discours.
- Hypothèses de lecture.
- Indices de présence du narrateur.
- Ponctuation.

▶ **La rédaction**
- Lisez les Points clés 1 et 3.
- Le dialogue entre Françoise et sa grand-mère sera argumentatif.
- Le narrateur est, comme dans le texte de Claude Michelet, témoin des événements.

Ernest Pépin

Coulée d'or
Gallimard, collection « Page Blanche », 1999

Dans Coulée d'or, *Ernest Pépin, écrivain guadeloupéen, décrit l'univers d'un enfant de la Guadeoupe.*

Je me ris de la tempête car le souffle de ma mère est plus fort que tous les vents contraires. Alors, ne la regardez pas comme ça ! Vous ne verrez qu'une mère comme les autres ! Moi seul connais...

Sa main sur mon visage.

5 Sa voix dans mes oreilles.

Son cœur immense.

Un fluide mystérieux nous relie même dans le silence. Et ce sont des éclairs de bonté, des savanes de patience, des oasis d'amour. À cause de ma mère j'ai appris à aimer toutes les mères de la création et à vénérer tou-
10 tes les femmes de la terre. Petit oiseau auquel elle donne la becquée, poussin enfoui sous ses ailes, petit poisson sous son sillage, je me métamorphose au gré de l'énergie de ses sentiments. J'habite la cascade de ses rires. J'habite la forêt de ses paroles. J'habite les profondeurs de ses silences. J'habite le cyclone de ses contrariétés et de ses peines.

15 Elle m'emmenait partout. Je marchais à côté d'elle, m'efforçant de garder le même pas sans me plaindre d'une quelconque lassitude. Je la suivais sur les routes empierrées de Castel, dans les rues de Pointe-à-Pitre. Un jour je la perdis. Voici le comment.

Elle portait une jupe rouge et nous circulions dans la cohue de la halle
20 aux viandes. Si beaucoup de bouchers étaient des hommes, ils avaient pour pratiques[1] une nuée de femmes. Elle allait, virevoltant par-ci, marchandant par-là. Je la suivais, agrippé à sa jupe, remorqué par ses pas. Soudain une bousculade nous dessouda. Je pris courir et ayant repéré une jupe rouge je me ressoudai à elle. Je continuais à me laisser entraîner lors-
25 que la jupe effectua un demi-tour agacé. Le visage d'une femme inconnue me considéra avec surprise.

– Qui es-tu ?

– Ernest...

— Et pourquoi tires-tu ma jupe ?

30 — Je n'ai pas tiré ta jupe, hon !

— Comment ? Je suis une menteuse alors ?

— Je n'ai pas dit ça, madame !

— Où est ta maman ?

— Je ne sais pas, madame !

35 — Comment tu ne sais pas ?

J'éclatai en un pleurer hoquetant. Un attroupement nous encercla. La pauvre femme répétait :

— *I pèd manman a-y[2]* !

Ce fut bientôt l'affaire de tous. Les commentaires bouillonnaient. Les

40 questions fusaient.

— *Mézanmi gadé jan chaben la ka pléré[3]* !

— *I lèd kon kochon siam[4]* !

— *Fanm aprézan pa ka pwan pon pwékosyon èvè ayen[5]*

— *Ou pé di mwen on manman ka pèd ti moun a-y[6]*

45 — Comment elle est ta maman ? Quelle est sa couleur ? Comment s'appelle-t-elle ?

— Où habites-tu ?

De temps en temps, je lâchais un maigre morceau de réponse dans une mare de pleurer. Je m'étais trompé de jupe. Ma mère réapparut sous les

50 regards plus ou moins réprobateurs des badauds. Elle remercia la dame, me happa et nous repartîmes emportant avec nous le silence des grandes émotions. J'ai retenu de cet incident que ne pas avoir de maman c'est tomber dans un trou noir sans fond.

---

1. Pratiques : clientes habituelles.
2. Il a perdu sa mère !
3. Oh ! Regardez comme il pleure ce chabin ! (enfant à la peau claire).
4. Il est aussi laid qu'un cochon de Siam ! (variété de cochon presque albinos).
5. Les femmes d'aujourd'hui n'attachent d'importance à rien !
6. Ce n'est pas possible qu'une mère perde son enfant.

■ Questions (15 points)

I. LE RÉCIT   8 POINTS

▶ **1. a)** Qui est le narrateur ? Sur quel indice vous appuyez-vous pour l'affirmer ? *(1 point)*

b) Qu'en déduisez-vous sur le genre auquel appartient ce récit ? *(0,5 point)*

▶ **2. a)** S'agit-il toujours d'un récit dans les lignes 4 à 6 ? Pourquoi ? *(0,5 point)*

b) Quels sentiments ces lignes traduisent-elles ? *(0,5 point)*

c) Quel est le procédé d'écriture utilisé dans les lignes 12 à 14 ? Quel effet ce procédé produit-il ? *(1 point)*

▶ **3.** Quels sont les temps employés :

a) Aux lignes 1 à 14 ? *(1 point)*

b) Aux lignes 15 à 26 ? *(1 point)*

c) Justifiez leur emploi. *(1 point)*

▶ **4. a)** L'expression « une mare de pleurer » (lignes 48-49) vous semble-t-elle correcte ? Pourquoi ? *(0,5 point)*

b) Dans les lignes 18 à 36, relevez un autre exemple d'expression de ce type. *(0,5 point)*

c) Justifiez l'emploi de ces expressions par Ernest Pépin. *(0,5 point)*

II. LES PERSONNAGES   7 POINTS

▶ **5. a)** Quel rapport de sens logique exprime la conjonction de coordination « car » à la ligne 1 ? *(0,5 point)*

b) Comment comprenez-vous la première phrase (lignes 1-2) ? *(0,5 point)*

▶ **6.** Lignes 7 à 14 :

a) Relevez quatre termes se rapportant au champ lexical de la nature. *(0,5 point)*

b) À qui est associé ce champ lexical ? *(0,5 point)*

c) Quelle est la figure de style utilisée à chaque fois ? *(0,5 point)*

d) Quels termes désignent le narrateur ? Que veut-il montrer par le choix de ces termes ? *(1,5 point)*

▶ **7. a)** Quelle est la cause de l'erreur de l'enfant ? *(0,5 point)*

b) Où s'est passée cette mésaventure ? *(0,5 point)*

▶ **8. a)** En vous aidant du contexte, dites quel est le sens des mots « badauds » et « réprobateurs » (ligne 50) ? *(1 point)*

b) Pourquoi les « badauds » ont-ils des « regards plus ou moins réprobateurs » (ligne 50) ? *(1 point)*

■ Réécriture (4 points)

En respectant les temps du récit, réécrivez les lignes 45 à 47 sous forme de paroles rapportées indirectement, en commençant la phrase par « La dame lui demande… ».

■ Dictée (6 points)

Simone Schwarz-Bart
Pluie et Vent sur Télumée-Miracle
Éditions du Seuil, 1979

Les jours suivants ma petite case ne désemplit pas. Tranquille et fraîche au milieu de la savane, avec son bouquet de roses fanées, sur le toit,
elle semblait attirer les femmes comme une chapelle solitaire. Il fallait
qu'elles y entrent, qu'elles la visitent, la réchauffent de leur présence et y
laissent ne serait-ce qu'une poignée d'icaques ou de pois doux. Le plus
souvent, elles n'éprouvaient même pas le désir de parler, elles touchaient
ma robe avec un léger soupir d'aise, et puis me regardaient en souriant,
avec une confiance absolue.

Écrire au tableau : icaques.

■ Rédaction (15 points)

Sujet
Vous aussi, vous avez conservé le souvenir précis d'un événement de votre
petite enfance. Vous le racontez à un ami proche en alternant récit au
passé et forme dialoguée.
Vous vous efforcerez de lui faire partager les émotions que vous éprouvez
en évoquant ce souvenir.

Consignes
Vous écrivez un récit à la première personne.
Vous devez utiliser des dialogues dans une partie de votre récit.
Votre récit sera rédigé au passé mais comportera des passages au présent expri-
mant les émotions éprouvées à ce souvenir.
Votre texte fera environ trente lignes.
Il sera tenu compte dans l'évaluation de la correction de la langue et de l'ortho-
graphe.

Découvrir le sujet

▶ Les questions

Grammaire

– Rapport logique.

– Temps et modes verbaux.

– Valeurs des modes verbaux.

Vocabulaire

– Champ lexical.

– Relevés justificatifs.

– Sens de mots ou d'expressions.

Écriture

– Figure de style.

– Genre du texte.

– Hypothèses de lecture.

– Indices de présence du narrateur.

▶ La rédaction

• Lisez les Points clés 1 et 3.

• Vous devez évoquer les émotions ressenties dans votre enfance et celles que vous éprouvez en écrivant ce souvenir.

Alain Rémond
Chaque jour est un adieu
Éditions du Seuil, 2000

Dans son ouvrage Chaque jour est un adieu, *l'auteur Alain Rémond évoque son enfance passée à Trans, village de Bretagne, « trou perdu en pleine campagne » où le narrateur a vécu comme « au paradis terrestre ». Les parents et les dix enfants, sa « tribu », y arrivent en 1952.*
Aujourd'hui, journaliste et écrivain, il vit à Paris.

Quand on voulait se faire couper les cheveux, on allait chez le menuisier. Le samedi soir, il changeait de métier, recevait dans sa cuisine. On s'asseyait autour de la table, en attendant notre tour. Le menuisier sortait sa tondeuse mécanique et il coupait tranquillement, en prenant tout son
5 temps, la cigarette papier maïs aux lèvres, la cendre qui nous dégringolait dans le cou. Il coiffait les hommes, exclusivement. Les vieux buvaient un coup, fumaient, discutaient, racontaient tous les potins du bourg, se rappelaient de vieilles histoires de famille, de fermes, de clôtures. Nous, les enfants, on écoutait, fascinés. Fallait surtout pas être pressés. On ressortait
10 de la cuisine du menuisier à la nuit noire, la tête bien fraîche : son style, au menuisier, c'était la coupe au bol, bien dégagé très haut sur les oreilles et dans la nuque. Quand on rentrait à la maison, les autres se moquaient de nous. Pas grave : ils y passeraient à leur tour. […]
    Juste à côté de la maison, il y avait un boucher, qui possédait son pro-
15 pre abattoir. On était tout le temps fourrés chez lui, dans sa cour, à le regarder tuer les bêtes. Bien sûr, ça impressionnait, mais, à force, on s'habituait. Lui, ce qu'il ne supportait pas, c'était de tuer des agneaux. Il pleurait, quand il tuait des agneaux. Le reste, les veaux, les cochons, c'était son boulot et on adorait se faire peur en le regardant faire son boulot.
20 Mais la cour du boucher, c'était aussi le rite de la lessiveuse. Ma mère faisait bouillir le linge dans une grande lessiveuse sous laquelle brûlait un feu d'enfer et c'était là, dans la cour du boucher, qu'elle pouvait le faire tranquillement. Ça prenait le temps qu'il fallait, surtout les draps. Après, il fallait aller laver le linge au doué, comme on appelait le lavoir. Un kilo-
25 mètre à pied, à pousser la brouette pleine de linge. Un kilomètre pour

revenir. Au doué, une mare en plein champ avec un petit abri en tôle, ma mère s'agenouillait dans une caisse en bois garnie de paille et savonnait, frappait le linge avec le battoir, savonnait, rinçait, frappait, rinçait, tordait... Ça fait très image d'Épinal[1] le lavoir à l'ancienne, vieille tradition
30 de nos belles campagnes. Mais ma mère, ça ne la faisait pas tellement rêver. Qu'il pleuve, qu'il vente, il fallait aller au doué, pousser la brouette, s'agenouiller, savonner, frotter, frapper, revenir en poussant la brouette. Pendant les vacances, on l'accompagnait, on passait l'après-midi avec elle. Pour nous, c'était une aventure de plus. Dans le champ près du doué, on
35 jouait, on lisait, on discutait. [...] Et puis on étendait le linge avec elle, dans la cour, on se cachait sous les draps qui sentaient l'herbe, les arbres et le savon de Marseille.

_____

1. Image d'Épinal : image populaire.

■ Questions (15 points)

I. NOSTALGIE DE L'ENFANCE   6,5 POINTS

▶ **1. a)** À quel temps est écrit ce texte ? *(0,5 point)*
b) Donnez deux valeurs de ce temps en citant un exemple pour chacune d'elles. *(1 point)*

▶ **2.** « Fallait surtout pas être pressés » (ligne 9).
a) De quel niveau de langue relève cette phrase ? Justifiez votre réponse. *(1 point)*
b) Dans le premier paragraphe, relevez deux expressions du même niveau de langue. *(0,5 point)*
c) Pourquoi le narrateur utilise-t-il ce niveau de langue ? *(0,5 point)*
d) Réécrivez cette phrase dans un autre niveau de langue. *(0,5 point)*

▶ **3.** Dans l'expression « ça impressionnait » (ligne 16), remplacez le pronom « ça » par un substitut nominal plus approprié. *(0,5 point)*

▶ **4.** Pour évoquer les souvenirs du passé, les cinq sens sont sollicités. Nommez-en trois et donnez pour chacun d'eux un exemple choisi dans l'ensemble du texte. *(1,5 points)*

▶ **5.** Comment appelle-t-on ce genre de récit ? *(0,5 point)*

II. LE VILLAGE DE TRANS EN 1952   5 POINTS

▶ **6. a)** Quel rapport logique unit les deux propositions de la première phrase du texte ? *(0,5 point)* [handwritten: quand = cause]

b) Quel est l'effet produit ? *(0,5 point)* [handwritten: incrédulité donc suspense]

▶ **7. a)** Dans l'expression « ils y passeraient à leur tour » (ligne 13), identifiez la forme verbale « ils y passeraient ». *(1 point)* [handwritten: conditionnel temps qui fut dû passé]

b) Que veut dire le narrateur par cette expression ? *(0,5 point)* [handwritten: qu'un moment on se moque de eux ms après c'est eux qui se moquera]

▶ **8.** Relevez quatre indices qui situent ce texte en 1952. *(1 point)* [handwritten: l'avoir chez le menuisier, cise garnie de meuble]

▶ **9. a)** Quelles sont les deux activités pratiquées dans la cour du boucher ? *(0,5 point)*

b) Dans la phrase « Mais la cour du boucher, c'était aussi le rite de la lessiveuse » (ligne 20), justifiez l'emploi des liens logiques « mais » et « aussi ». *(1 point)* [handwritten: l'abbatage n'est pas toujours joyeux as que le rire dt l'ait lui]

III. LE RITE DE LA LESSIVEUSE   3,5 POINTS

▶ **10. a)** Quelle figure de style constitue l'expression « un feu d'enfer » (lignes 21-22) ? *(0,5 point)* [handwritten: métaphore]

b) Expliquez l'expression « le rite de la lessiveuse » (ligne 17). *(0,5 point)*

c) Faites une phrase où le mot « rite » sera employé dans un autre contexte. *(0,5 point)*

▶ **11. a)** Dans le passage des lignes 24 à 32, relevez des répétitions de verbes conjugués à des modes différents.

b) Par ces répétitions, que cherche à exprimer le narrateur ? *(1 point)* [handwritten: La besogne était dure]

▶ **12.** Montrez que, pour la mère et pour les enfants, ce « rite » n'a pas la même valeur. *(1 point)*

■ Réécriture (5 points)

« Quand on voulait se faire couper les cheveux, on allait chez le menuisier. Le samedi soir, il changeait de métier, recevait dans sa cuisine. On s'asseyait autour de la table, en attendant notre tour. […] Les vieux buvaient un coup, fumaient, discutaient, racontaient tous les potins du bourg, se rappelaient de vieilles histoires de famille, de fermes, de clôtures » (lignes 1 à 8).
Réécrivez les phrases ci-dessus au présent de l'indicatif.

■ Dictée (5 points)

Alain Rémond
Chaque jour est un adieu
Éditions du Seuil, 2000

Un jour, l'eau courante est arrivée. Toute une équipe a débarqué, ingénieur, contremaîtres, ouvriers. Pendant un mois, ils ont investi Trans pour creuser les tranchées, poser les tuyaux, faire les raccordements, bâtir le château d'eau. […] Avec eux, Trans, d'un seul coup, changeait d'époque. […] On voyait avancer le progrès, jour après jour, au fur et à meure que les longs tuyaux noirs arrivaient au cœur du bourg. Et puis un jour, on nous a posé l'évier. Et le robinet, On a ouvert : l'eau s'est mise à couler. Chacun à tour de rôle, on a voulu essayer. Moquez-vous : un miracle, un vrai.

Écrire au tableau : Trans.

■ Rédaction (15 points)

Sujet
Comme le narrateur, évoquez à votre tour le souvenir d'un lieu où vous aimiez vous rendre quand vous étiez enfant (et où vous allez peut-être encore aujourd'hui).

Consignes
Vous direz pourquoi vous aimiez (ou vous aimez encore) vous y rendre.
Vous tenterez, vous aussi, d'associer à ce souvenir diverses sensations.
Votre récit contiendra au moins un passage descriptif.

Découvrir le sujet

▶ **Les questions**
Grammaire
- Rapport logique.
- Référent d'un pronom.
- Temps et modes verbaux.
- Valeurs des temps verbaux.

Vocabulaire

– Registre de langue.

– Relevés justificatifs.

– Sens de mots ou d'expressions.

Écriture

– Figure de style.

– Genre du texte.

– Hypothèses de lecture.

▶ La rédaction

• Lisez les Points clés 1 et 4.

• Repérez dans le sujet posé les deux formes de discours qui vous sont demandées.

George Sand

Histoire de ma vie, quatrième partie, chapitre XIV, 1854
Le Livre de poche, 2004

George Sand (1804-1876), née Aurore Dupin, a grandi au château familial de Nohant, près de la petite ville de La Châtre, au bord de la Loire. En 1830, elle se sépare de son mari et s'installe seule à Paris, où elle décide de s'habiller désormais en homme.

Moi, j'avais l'idéal[1] logé dans un coin de ma cervelle, et il ne me fallait que quelques jours d'entière liberté pour le faire éclore. Je le portais dans la rue, les pieds sur le verglas, les épaules couvertes de neige, les mains dans mes poches, l'estomac un peu creux quelquefois, mais la tête d'autant plus
5 remplie de songes, de mélodies, de couleurs, de formes, de rayons et de fantômes. Je n'étais plus une *dame*, je n'étais pas non plus un *monsieur*. On me poussait sur le trottoir comme une chose qui pouvait gêner les passants affairés. Cela m'était bien égal, à moi qui n'avais aucune affaire. On ne me connaissait pas, on ne me regardait pas, on ne me reprenait pas :
10 j'étais un atome perdu dans cette immense foule. Personne ne disait comme à La Châtre : « Voilà madame Aurore qui passe ; elle a toujours le même chapeau et la même robe » ; ni comme à Nohant : « Voilà not'dame qui *poste*[2] sur son grand cheval ; faut qu'elle soit dérangée d'esprit pour *poster* comme ça. » À Paris, on ne pensait rien de moi, on ne
15 me voyait pas. Je n'avais aucun besoin de me presser pour éviter des paroles banales ; je pouvais faire tout un roman d'une barrière[3] à l'autre, sans rencontrer personne qui me dît : « À quoi diable pensez-vous ? » Cela valait mieux qu'une cellule[4], et j'aurais pu dire avec René, mais avec autant de satisfaction qu'il l'avait dit avec tristesse, que je me promenais
20 dans le désert des hommes[5].

---

1. Idéal : ici, ce dont elle rêve, ce qu'elle rêve de faire.
2. Poster : aller rapidement à cheval.
3. Barrières : portes qui se trouvent aux différentes entrées de la ville de Paris.
4. Cellule : chambre très simple d'un moine dans un monastère.
5. Désert des hommes : expression extraite de *René*, roman de Châteaubriand (1802).

■ Questions (15 points)

I. LE PORTRAIT D'UNE FEMME ORIGINALE   6 POINTS

▶ **1. a)** Dans les lignes 2 à 6, quelle figure de style George Sand utilise-t-elle pour se décrire ?

b) Dans ces mêmes lignes, quelles expressions montrent que George Sand vit dans l'inconfort ? *(1 point)*

▶ **2.** « Je n'étais plus une *dame*, je n'étais pas non plus un *monsieur* » (ligne 6).

a) Liez ces deux propositions en utilisant une conjonction de coordination.

b) Quel lien logique avez-vous ainsi mis en valeur ?

c) Expliquez la différence entre « femme » et « dame ». *(1,5 point)*

▶ **3.** Relisez les deux premiers passages au discours direct.

a) Quel est le niveau de langue de chacun d'eux ?

b) Proposez deux adjectifs qualificatifs qui résument les commentaires faits sur George Sand par les habitants des environs. *(2 points)*

▶ **4.** En conclusion, indiquez en quelques lignes les traits essentiels du portrait que George Sand fait d'elle-même. *(1,5 point)*

II. « LE DÉSERT DES HOMMES »   4 POINTS

▶ **5.** « On ne me connaissait pas, on ne me regardait pas, on ne me reprenait pas, […] on ne pensait rien de moi, on ne me voyait pas » (lignes 8 à 15).

a) Quelle figure de style est utilisée ici ? Justifiez votre réponse avec précision.

b) Qui est « on » ?

c) Par quel pronom indéfini « on » est-il repris deux fois dans le texte ?

d) Relevez les deux groupes nominaux qui désignent les Parisiens dans les lignes 7 à 10. *(2 points)*

▶ **6. a)** Relevez une comparaison dans les lignes 7 à 10.

b) Relevez une métaphore dans ces mêmes lignes.

c) Quel effet produisent-elles ? *(1 point)*

▶ **7.** En conclusion :

a) Que signifie l'expression « désert des hommes » (ligne 20) ?

b) Quel sentiment George Sand éprouve-t-elle dans ce « désert des hommes » ? Justifiez votre réponse en citant le texte. *(1 point)*

III. DE LA LIBERTÉ À L'INSPIRATION
DE L'ÉCRIVAIN   5 POINTS

▶ **8. a)** Quel mot du texte est repris par les deux pronoms « le » à la ligne 2 ? *(0,5 point)*
b) « le faire éclore » (ligne 2) : expliquez précisément cette image. *(1 point)*
c) Quelle énumération montre que George Sand parle ici de son inspiration d'écrivain ? *(0,5 point)*
d) Quel mot, dans les lignes 16 à 20, confirme cette explication ? *(0,5 point)*

▶ **9. a)** Relevez dans l'ensemble du texte trois compléments de lieu qui précisent où se trouve George Sand pendant que lui vient cette inspiration. *(0,5 point)*
b) Dans les lignes 16 à 20, quel verbe résume ce que fait George Sand de son « entière liberté » dans Paris ? *(0,5 point)*

▶ **10.** En conclusion, dites en quelques lignes pourquoi George Sand a trouvé à Paris les conditions nécessaires pour devenir écrivain. *(1,5 point)*

■ Réécriture (4 points)

« Cela m'était bien égal, à moi qui n'avais aucune affaire. On ne me connaissait pas, on ne me regardait pas, on ne me reprenait pas » (lignes 8-9). Réécrivez ce passage au conditionnel passé (temps employé dans la forme : « j'aurais pu… », ligne 18), en employant la première personne du pluriel à la place de la première personne du singulier.

■ Dictée (6 points)

George Sand
Histoire de ma vie, troisième partie, chapitre XI, 1854
Le Livre de poche, 2004

Paris avait glacé en moi cette fièvre de mouvement que j'avais subie à Nohant. Tout cela ne m'empêchait pas de courir sur les toits au mois de décembre et de passer des soirées entières nu-tête dans le jardin en plein hiver ; car dans le jardin aussi, nous cherchions le grand secret et nous y descendions par les fenêtres quand les portes étaient fermées. C'est qu'à ces heures-là nous vivions par le cerveau, et je ne m'apercevais plus que j'eusse un corps malade à porter.

Avec tout cela, avec ma figure pâle et mon air transi, dont Isabelle faisait les plus plaisantes caricatures, j'étais gaie intérieurement. Je riais fort peu, mais le rire des autres me réjouissait les oreilles et le cœur.

Écrire au tableau : Nohant, Isabelle.

■ Rédaction (15 points)

Sujet

George Sand, en s'habillant et en vivant comme un homme, a choqué la société de son temps.

Imaginez une situation où un adolescent ou une adolescente, élève de troisième, ne se sent attiré(e) que par une activité ou un domaine professionnel majoritairement représenté par le sexe opposé (par exemple, rugby, électrotechnique ou plomberie pour une fille ; danse classique, puériculture ou métier de sage-femme pour un garçon). Face aux arguments sexistes de son entourage, l'adolescent(e) décide d'écrire une lettre ouverte dans le journal du collège pour protester contre ces préjugés.

Consignes

Vous respecterez la situation d'énonciation.

Votre texte devra adopter les caractéristiques de rédaction et de présentation d'une lettre, en préservant votre anonymat dans la signature.

L'auteur de la lettre racontera d'abord dans quelles circonstances est née cette attirance puis il exposera dans une partie argumentative structurée les raisons qui le poussent à écrire.

Il sera tenu compte, dans l'évaluation, de la correction de la langue et de l'orthographe.

Découvrir le sujet

▶ **Les questions**

Grammaire

– Nature et fonction.

– Rapport logique.

– Référent de « on ».

– Référent d'un pronom.

– Reprise pronominale.

Vocabulaire
– Registre de langue.
– Relevés justificatifs.
– Sens de mots ou d'expressions.

Écriture
– Figure de style.
– Hypothèses de lecture.
– Indices de lieu.

▶ **La rédaction**

• Lisez le Point clé 7 : « Écrire un article de journal ».

• Avant de commencer à rédiger, réfléchissez bien à l'activité ou au métier que vous souhaitez évoquer.

Guy de Maupassant
Une vie, 1883

L'adolescent Paul, surnommé Poulet, est élevé par sa mère, Jeanne, par sa tante et par son grand-père (le baron) dans leur château de famille à la campagne.

Poulet devenait grand, il atteignait quinze ans ; et l'échelle du salon marquait un mètre cinquante-huit. Mais il restait enfant d'esprit ignorant, niais, étouffé entre ces deux jupes et ce vieil homme aimable qui n'était plus du siècle.

5 Un soir enfin le baron parla du collège ; et Jeanne aussitôt se mit à sangloter. Tante Lison effarée se tenait dans un coin sombre.

La mère répondait : « Qu'a-t-il besoin de tant savoir ? Nous en ferons un homme des champs, un gentilhomme campagnard. Il cultivera ses terres comme font beaucoup de nobles. Il vivra et vieillira heureux dans cette

10 maison où nous aurons vécu avant lui, où nous mourrons. Que peut-on demander de plus ? »

Mais le baron hochait la tête. « Que répondras-tu s'il vient te dire, lorsqu'il aura vingt-cinq ans : Je ne suis rien, je ne sais rien par ta faute, par la faute de ton égoïsme maternel ? Je me sens incapable de travailler,

15 de devenir quelqu'un, et pourtant je n'étais pas fait pour la vie obscure, humble, et triste à mourir, à laquelle ta tendresse imprévoyante m'a condamné. »

Elle pleurait toujours, implorant son fils. « Dis, Poulet, tu ne me reprocheras jamais de t'avoir trop aimé, n'est-ce pas ? »

20 Et le grand enfant surpris promettait : « Non, maman.

– Tu me le jures ?

– Oui, maman.

– Tu veux rester ici, n'est-ce pas ?

– Oui, maman. »

25 Alors le baron parla ferme et haut : « Jeanne, tu n'as pas le droit de disposer de cette vie. Ce que tu fais là est lâche et presque criminel ; tu sacrifies ton enfant à ton bonheur particulier. »

Elle cacha sa figure dans ses mains, poussant des sanglots précipités, et elle balbutiait dans ses larmes : « J'ai été si malheureuse... si malheu-
30 reuse ! Maintenant que je suis tranquille avec lui, on me l'enlève... Qu'est-ce que je deviendrai... toute seule... à présent ?... »

■ Questions (15 points)

I. LE FILS   5 POINTS

▶ **1. a)** À quels temps sont les verbes des deux premiers paragraphes ? *(0,5 point)*
b) Justifiez leur emploi. *(0,5 point)*

▶ **2. a)** Quel est le rapport logique entre les deux premières phrases ? *(0,5 point)*
b) Quel terme souligne ce rapport ? *(0,5 point)*
c) Que veut montrer ainsi le narrateur ? Rédigez votre réponse sans utiliser les mots du texte. *(0,5 point)*

▶ **3.** Expliquez l'expression « étouffé entre ces deux jupes » (ligne 3). *(1 point)*

▶ **4.** Relevez les trois reprises nominales désignant le fils.
Quelle information chacune d'entre elles apporte-t-elle sur les relations que la mère entretient avec son fils ? *(1,5 point)*

II. LE BARON   4 POINTS

▶ **5.** Pour quelles raisons le baron veut-il envoyer son petit-fils dans un collège ?
Justifiez votre réponse en vous appuyant sur le texte. *(2 points)*

▶ **6.** Dans le quatrième paragraphe, comment le baron s'y prend-il pour convaincre sa fille ? *(1 point)*

▶ **7.** Relevez les expressions (au moins quatre) par lesquelles il juge le comportement maternel. *(1 point)*

III. LA MÈRE   6 POINTS

▶ **8.** Pour quelle raison la mère ne veut-elle pas se séparer de son fils ? *(1 point)*

▶ **9. a)** Quelle solution envisage-t-elle pour ne pas se séparer de lui ? *(1 point)*

b) Quel mode et quel temps emploie-t-elle ? *(1 point)*

c) En quoi le choix de ce temps et de ce mode renforce-t-il sa prise de position ? *(0,5 point)*

▶ **10. a)** Les phrases interrogatives utilisées par la mère de la ligne 18 à la ligne 24 sont-elles totales ou partielles ? *(1 point)*

b) Permettent-elles à Poulet de s'exprimer ? *(0,5 point)*

▶ **11.** Par quels procédés le narrateur exprime-t-il la souffrance de la mère dans le dernier paragraphe ? *(1 point)*

■ Réécriture (4 points)

Réécrivez le dernier paragraphe en remplaçant « Elle » par « Jeanne et tante Lison ».

■ Dictée (6 points)

Patrick Chamoiseau
Chemin d'école
Gallimard, 1994

Le Maître était encore le Maître dans la rue. Il ne marchait pas comme tout le monde, mais avec plus de gravité, comme si à tout moment il ne perdait pas une goutte de lucidité sur la réalité de l'existence. On le regardait. On le saluait. On traversait pour lui toucher la main. On tentait de l'entraîner dans quelque vaine causette, mais il n'y prêtait qu'une oreille distraite et ne troublait nullement la sévère mécanique de son pas. Il n'avait pas peur des automobiles comme le commun des mortels. Il s'engageait sur la chaussée sans vraiment regarder, en levant juste un doigt comminatoire.

Signaler la majuscule à « Maître ».
Écrire au tableau : comminatoire.

■ Rédaction (15 points)

Sujet
Poulet réagit et prend part à la discussion.

Consignes
Vous conserverez la situation d'énonciation du texte.
Votre devoir comportera des passages de dialogue à visée argumentative.
Il sera tenu compte, dans l'évaluation, de la correction de la langue et de l'orthographe.

Découvrir le sujet

▶ Les questions
Grammaire
- Mode et temps verbaux.
- Rapport logique.
- Reprises nominales.
- Types de phrases.
- Valeurs des temps verbaux.

Vocabulaire
- Relevés justificatifs.
- Sens de mots et d'expressions.

Écriture
- Connecteur logique.
- Figure de style.
- Hypothèses de lecture.

▶ La rédaction
• Pour écrire un dialogue inséré dans un récit, lisez le Point clé 3.
• Tenez compte des traits de caractère des différents personnages que vous avez dégagés dans les questions.

Prosper Mérimée
Colomba, 1840

Après une longue absence, Orso est sur le point de retrouver son village natal, en Corse. Colomba, sa sœur, qui l'accompagne, s'arrête au détour d'un chemin.

« Orso, dit-elle, c'est ici que notre père est mort. Prions pour son âme, mon frère ! »

Et elle se mit à genoux. Orso l'imita aussitôt. En ce moment la cloche du village tinta lentement, car un homme était mort dans la nuit. Orso
5 fondit en larmes.

Au bout de quelques minutes, Colomba se leva, l'œil sec, mais la figure animée. Elle fit du pouce à la hâte le signe de croix familier à ses compatriotes et qui accompagne d'ordinaire leurs serments solennels[1], puis, entraînant son frère, elle reprit le chemin du village. Ils rentrèrent
10 en silence dans leur maison. Orso monta dans sa chambre. Un instant après, Colomba l'y suivit, portant une petite cassette qu'elle posa sur la table. Elle l'ouvrit et en tira une chemise couverte de larges taches de sang.

« Voici la chemise de notre père, Orso. »

Et elle la jeta sur ses genoux.

15 « Voici le plomb qui l'a frappé. »

Et elle posa sur la chemise deux balles oxydées.

« Orso, mon frère ! cria-t-elle en se précipitant dans ses bras et l'étreignant avec force. Orso ! tu le vengeras ! »

Elle l'embrassa avec une espèce de fureur, baisa les balles et la chemise,
20 et sortit de la chambre, laissant son frère comme pétrifié sur sa chaise.

Orso resta quelque temps immobile, n'osant éloigner de lui ces épouvantables reliques[2]. Enfin, faisant un effort, il les remit dans la cassette et courut à l'autre bout de la chambre se jeter sur son lit, la tête tournée vers la muraille, enfoncée dans l'oreiller, comme s'il eût voulu se dérober à la
25 vue d'un spectre. Les dernières paroles de sa sœur retentissaient sans cesse dans ses oreilles, et il lui semblait entendre un oracle fatal[3], inévitable, qui lui demandait du sang, et du sang innocent. Je n'essaierai pas de rendre les sensations du malheureux jeune homme, aussi confuses que celles qui

bouleversent la tête d'un fou. Longtemps, il demeura dans la même posi
30 tion, sans oser détourner la tête. Enfin il se leva, ferma la cassette, et sortit
précipitamment de sa maison, courant la campagne et marchant devant
sans savoir où il allait.

---

1. Serments solennels : promesses d'une grande importance.
2. Reliques : ce qui reste d'une personne disparue.
3. Oracle fatal : décision inévitable provenant d'une personne de grande autorité.

■ Questions (15 points)

I. UN DRAME FAMILIAL   5 POINTS

▶ **1.** Relevez deux phrases au discours direct. Qui parle ? *(2 points)*

▶ **2.** Comment le père de Colomba et d'Orso est-il mort ? Justifiez votre
réponse en vous appuyant sur le texte. *(2 points)*

▶ **3.** Décomposez le mot « immobile » (ligne 21). Trouvez une expression
équivalente. *(1 point)*

II. LA VOLONTÉ DE COLOMBA   10 POINTS

▶ **4.** Dans les lignes 1 à 12, relevez deux expressions qui montrent
qu'Orso subit l'influence de sa sœur. *(2 points)*

▶ **5.** Lignes 17-18 : par quelle formule Colomba donne-t-elle un ordre à
son frère ? Réécrivez cette phrase en utilisant l'impératif. *(2 points)*

▶ **6.** De la ligne 12 à la ligne 18, expliquez par quels moyens Colomba
pousse Orso à venger leur père. *(2 points)*

▶ **7.** Expliquez l'expression « pétrifié sur sa chaise » (ligne 20). *(1 point)*

▶ **8.** Relevez les verbes de mouvement dans les lignes 30 à 32. Comment
expliquez-vous le comportement d'Orso dans la dernière phrase ? *(3 points)*

■ Réécriture (5 points)

« Enfin il se leva, ferma la cassette, et sortit précipitamment de sa maison,
courant la campagne et marchant devant sans savoir où il allait »
(lignes 30 à 32).
Réécrivez cette phrase en remplaçant le pronom personnel « il » par
« nous ». Vous apporterez les modifications nécessaires.

■ Dictée (5 points)

Louise Peltzer
Lettre à Poutaveri, 1995

L'arrivée de chaque bateau est une fête. Hommes et femmes se précipitent sur leurs pirogues qu'ils chargent de ma'a, de fruits, de fleurs, et partent à l'assaut du navire. Les hommes font du troc, les femmes dansent, embrassent et caressent l'équipage. Les capitaines sont plus ou moins sévères les premiers jours, après ils se ressemblent tous, ils se détendent petit à petit et font la fête avec nous. Les départs sont déchirants et les capitaines, furieux, car il leur manque toujours quelques matelots dans la nature. La visite de tous ces navires est bien agréable pour nous et nous souhaitons qu'il en vienne plus souvent.

_____

Écrire au tableau : ma'a (nourriture).

■ Rédactions au choix (15 points)

Sujet 1 (Sujet d'imagination)
En une vingtaine de lignes, imaginez la suite et la fin de cette histoire. Votre récit devra tenir compte du texte (emploi du passé simple et de l'imparfait, respect des personnages et des lieux, utilisation de la 3ᵉ personne du singulier, déroulement des événements).

Sujet 2 (sujet de réflexion)
Dans ce texte, Orso subit l'influence de sa sœur.
À votre avis, est-il possible de résister aux conseils de son entourage (orientation professionnelle, loisirs, mariage…) ?
Vous exposerez votre point de vue dans un texte argumenté d'une vingtaine de lignes et illustré d'exemples précis.

Consignes
Respectez l'orthographe, la grammaire et la ponctuation.
Développez vos arguments en utilisant des exemples précis.
Organisez votre texte en paragraphes.
Soignez l'écriture et la présentation.

Découvrir le sujet

▶ Les questions

Grammaire
– Discours rapporté.
– Temps et mode verbal.
– Type de phrases.

Vocabulaire
– Champ lexical.
– Formation de mots.
– Relevés justificatifs.
– Sens de mots ou d'expressions.
– Synonymes.

Écriture
– Hypothèses de lecture.

▶ Les rédactions

Sujet 1
• Lisez le Point clé 2 : « Écrire une suite de texte ».

Sujet 2
• Lisez le Point clé 6 pour bien rédiger un paragraphe argumentatif.

Émile Zola
Le Ventre de Paris, 1873

Déporté au bagne de Cayenne lors du coup d'État du 2 décembre 1851, Florent revient après plusieurs années à Paris dans le quartier des Halles, où il erre toute la nuit à la recherche de son frère Quenu. Gavard, un ancien camarade rencontré par hasard, l'accompagne devant la belle charcuterie des « Quenu-Gradelle »…

[Gavard] poussa une porte, au fond de l'allée. Mais, lorsque Florent entendit la voix de son frère, derrière cette porte, il entra d'un bond. Quenu, qui l'adorait, se jeta à son cou. Ils s'embrassaient comme des enfants.

5 « Ah ! saperlotte, ah ! c'est toi, balbutiait Quenu, si je m'attendais, par exemple !… Je t'ai cru mort, je le disais hier encore à Lisa : "Ce pauvre Florent…" »

Il s'arrêta, il cria, en penchant la tête dans la boutique :

« Eh ! Lisa !… Lisa !… »

10 Puis, se tournant vers une petite fille qui s'était réfugiée dans un coin :

« Pauline, va donc chercher ta mère. »

Mais la petite ne bougea pas. C'était une superbe enfant de cinq ans, ayant une grosse figure ronde, d'une grande ressemblance avec la belle charcutière. Elle tenait, entre ses bras, un énorme chat jaune, qui s'aban-

15 donnait d'aise, les pattes pendantes ; et elle le serrait de ses petites mains, pliant sous la charge, comme si elle eût craint que ce monsieur si mal habillé ne le lui volât.

Lisa arriva lentement.

« C'est Florent, c'est mon frère », répétait Quenu.

20 Elle l'appela « monsieur », fut très bonne. Elle le regardait paisiblement, de la tête aux pieds, sans montrer aucune surprise malhonnête. Ses lèvres seules avaient un léger pli. Et elle resta debout, finissant par sourire des embrassades de Florent.

« Ah ! mon pauvre ami, dit-il, tu n'as pas embelli, là-bas… Moi, j'ai

25 engraissé, que veux-tu ! »

Il était gras, en effet, trop gras pour ses trente ans. Il débordait dans sa chemise, dans son tablier, dans ses linges blancs qui l'emmaillotaient comme un énorme poupon. Sa face rasée s'était allongée, avait pris à la longue une lointaine ressemblance avec le groin de ces cochons, de cette
30 viande, où ses mains s'enfonçaient et vivaient, la journée entière. Florent le reconnaissait à peine. Il s'était assis, il passait de son frère à la belle Lisa, à la petite Pauline. Ils suaient la santé ; ils étaient superbes, carrés, luisants ; ils le regardaient avec l'étonnement de gens très gras pris d'une vague inquiétude en face d'un maigre. Et le chat lui-même, dont la peau
35 pétait de graisse, arrondissait ses yeux jaunes, l'examinait d'un air défiant.

« Tu attendras le déjeuner, n'est-ce pas ? demanda Quenu. Nous mangeons de bonne heure, à dix heures. »

Une odeur forte de cuisine traînait. Florent revit sa nuit terrible, son arrivée dans les légumes, son agonie au milieu des Halles, cet éboulement
40 continu de nourriture auquel il venait d'échapper.

Alors, il dit à voix basse, avec un sourire doux :

« Non, j'ai faim, vois-tu. »

■ Questions (15 points)

I. UNE SCÈNE DE RETROUVAILLES   4,5 POINTS

▶ **1.** Précisez les liens de parenté entre Florent, Quenu, Lisa et Pauline. *(0,5 point)*

▶ **2. a)** Dans le premier paragraphe, relevez une phrase qui montre avec évidence que l'émotion éprouvée par les deux hommes semble réciproque. Identifiez la forme du verbe. *(1 point)*
b) Quel est le type de phrases dominant dans les paroles du charcutier (lignes 5 à 7) ? Précisez les sentiments qu'il éprouve devant cette visite inattendue en vous appuyant sur ce passage. *(1 point)*

▶ **3. a)** « Puis, se tournant vers une petite fille qui s'était réfugiée dans un coin : "Pauline, va donc chercher ta mère" » (lignes 10-11). En faisant toutes les transformations qui permettent d'en respecter le sens, mettez ce passage au discours indirect. Quel est l'intérêt du discours direct par rapport au discours indirect ? *(1,5 point)*
b) Qu'est-ce que l'emploi du mot « monsieur » par Lisa nous apprend sur l'éducation de cette dernière ? *(0,5 point)*

II. LE MONDE DES GRAS   6 POINTS

▶ **4.** D'après vous, le commerce tenu par les Quenu-Gradelle est-il prospère ? Justifiez votre réponse en vous appuyant sur le texte et sur les gravures représentant Quenu et Lisa (page 90). *(2 points)*

▶ **5. a)** Dans la proposition « Sa face rasée […] cochons » (lignes 28-29), nommez la figure de style utilisée pour décrire Quenu. Réécrivez-la en utilisant le verbe « être ». *(1 point)*

b) Montrez comment la forme, la taille et l'aspect du « cochon » servent à décrire la famille du charcutier ainsi que le chat. Quel jugement le narrateur porte-t-il sur cette apparence physique ? Justifiez votre réponse. *(1,5 point)*

▶ **6. a)** Quel est le sens du mot « emmailloter » (ligne 27) ? Décomposez-le en expliquant précisément sa formation. *(1 point)*

b) Quelle nouvelle comparaison ce verbe introduit-il ? *(0,5 point)*

III. UN MAIGRE CHEZ LES GRAS   4,5 POINTS

▶ **7. a)** Compte tenu de la nature du commerce, à quel mot vous font penser les sonorités associées des noms « Quenu » et « Gradelle » ? *(0,5 point)*

b) Dans les gravures, par quels moyens l'illustrateur a-t-il marqué les oppositions entre Quenu, le gras, et Florent, le maigre ? *(1 point)*

▶ **8.** Différents points de vue se succèdent dans la phrase « Il s'était assis […] air défiant » (lignes 31 à 35). Nommez chacun d'eux en précisant à chaque fois qui regarde et qui juge. Vous indiquerez précisément les lignes correspondant à chaque point de vue. Quel nouvel éclairage cela apporte-t-il sur les relations entre les personnages ? *(2 points)*

▶ **9.** Comment expliquez-vous les sentiments de crainte des « gras » (ligne 33) devant un « maigre » (ligne 34) ? *(1 point)*

Quenu

Florent

Gravures extraites de la première édition illustrée du *Ventre de Paris*, Émile Zola, 1873.

Lisa

■ Réécriture (4 points)

« Elle l'appela "monsieur", fut très bonne. Elle le regardait paisiblement, de la tête aux pieds, sans montrer aucune surprise malhonnête. Ses lèvres seules avaient un léger pli » (lignes 20 à 22).

Réécrivez ce passage au présent de l'indicatif, en remplaçant la troisième personne du féminin singulier par la troisième personne du féminin pluriel et en effectuant les modifications qui s'imposent.

Les fautes de copie seront pénalisées.

■ Dictée (6 points)

Émile Zola
Le Ventre de Paris, 1873

Florent sentit un frisson à fleur de peau ; et il aperçut une femme, sur le seuil de la boutique, dans le soleil. Elle mettait un bonheur de plus, une plénitude solide et heureuse, au milieu de toutes ces gaietés grasses. C'était une belle femme. Elle tenait la largeur de la porte, point trop grosse pourtant, forte de la gorge, dans la maturité de la trentaine. Elle venait de se lever, et déjà ses cheveux, lissés, collés et comme vernis, lui descendaient en petits bandeaux plats sur les tempes. Cela la rendait très propre.

Écrire au tableau : Florent.

■ Rédaction (15 points)

Sujet
Quenu et Lisa offrent finalement l'hospitalité à Florent, qu'ils logent dans une petite chambre au mobilier modeste, perchée au dernier étage de la charcuterie. Le soir venu, assis devant un étroit bureau, le bagnard évadé reprend son journal intime et se rappelle la dure journée qu'il vient de vivre : son errance nocturne et surtout, au petit matin, ses retrouvailles avec son frère Quenu.

Consignes
Écrivez son récit en respectant les règles du journal intime. Vous ferez alterner récit et expression des sentiments et vous inclurez, dans un passage argumenté, la déception de Florent devant la réaction de sa famille.

Découvrir le sujet

▶ Les questions

Grammaire
- Discours rapporté.
- Type de phrases.
- Valeur d'un temps verbal.

Vocabulaire
- Formation de mots.
- Relevés justificatifs.
- Sens de mots ou d'expressions.

Écriture
- Figure de style.
- Hypothèses de lecture.
- Point de vue.

▶ La rédaction

• Trois formes de discours vous sont demandées ; repérez-les dans l'intitulé du sujet.

• Aidez-vous de vos réponses aux questions pour enrichir votre rédaction.

Émile Ajar
L'Angoisse du roi Salomon, 1979
Gallimard, 1990

Je l'ai accompagné jusqu'au cinquième étage à droite et c'est là qu'il m'a vraiment eu. Monsieur Salomon s'était arrêté devant une porte avec une plaque qui disait *Madame Jolie <u>voyante extra-lucide</u> sur rendez-vous seulement*, et il a sonné. J'ai d'abord essayé de croire qu'il venait se rensei-
5 gner pour quelqu'un d'autre, mais non, pas du tout.

— Il paraît qu'elle ne se trompe jamais, dit-il. Nous allons bien voir. Je meurs de curiosité !

— Oui, je suis vraiment très <u>curieux de savoir</u> ce qui m'attend.

Il en avait les joues roses.
10 Je restais là, la gueule ouverte. Merde alors. C'est tout ce que j'arrivais à penser. Un mec de quatre-vingt-quatre piges qui va consulter une voyante pour qu'elle lui dise ce qui l'attend ! Et puis je me suis souvenu tout à coup de ce qu'il m'avait dit dans sa voiture familiale, à propos de cette jeune femme blonde, douce, sachant cuisiner, et j'ai eu la chair de
15 poule à l'idée qu'il venait peut-être consulter la voyante pour savoir s'il allait encore aimer et être aimé dans sa vie. J'ai cherché dans son œil les petites lueurs proverbiales[1], pour savoir si ce n'était pas de l'ironie[2], s'il ne se moquait pas du monde, de lui-même, de sa vieillesse ennemie. Allez savoir. Il se tenait là, vêtu de son costume pour cinquante ans, appuyé sur
20 sa canne hippique, la tête haute, le chapeau sur l'œil, devant la porte d'une voyante extra-lucide au cinquième étage de la rue Cambige, et il avait sur son visage une expression de défi.

— Monsieur Salomon, je suis fier de vous avoir connu. Je penserai tou-jours à vous avec émotion.
25 — Il m'a mis la main sur l'épaule, et nous sommes restés ainsi un moment, émus, l'œil dans l'œil, et <u>ça commençait même à ressembler à une minute de silence</u>. […]

Monsieur Salomon a sonné encore une fois.

---

1. Lueurs proverbiales : expressions passagères du regard exprimant une vérité d'expérience.
2. Ironie : moquerie.

■ Questions (15 points)

I. LA VISITE   10 POINTS

▶ **1.** Donnez le sens des trois expressions suivantes : « voyante extra-lucide » (ligne 3), « curieux de savoir » (ligne 8) ; « ça commençait [...] silence » (lignes 26-27). *(3 points)*

▶ **2.** Indiquez pour l'ensemble du texte les lignes où l'on trouve du style direct. *(3 points)*

▶ **3.** Quels sentiments le narrateur éprouve-t-il pour Monsieur Salomon ? Justifiez votre réponse en donnant trois exemples pris dans le texte. *(3 points)*

▶ **4.** Donnez un titre à cet extrait. *(1 point)*

II. MONSIEUR SALOMON   5 POINTS

▶ **5.** Relevez les expressions du texte qui caractérisent Monsieur Salomon. Quelle image ces expressions donnent-elles du personnage ? *(3 points)*

▶ **6.** Deux personnages sont présents dans cet extrait. Pensez-vous qu'ils aient le même âge ?
Justifiez votre réponse par des exemples pris dans le texte. *(2 points)*

■ Réécriture (5 points)

Repérez quatre mots familiers (lignes 10-11) et réécrivez ces lignes en langage courant.

■ Dictée (5 points)

Bernard Werber
Nos amis les humains
Éditions Albin Michel, 2003

   Trois coups résonnent dans l'obscurité.
Une vive lumière jaillit brusquement.
Un homme, seul, ébloui, recule en se protégeant les yeux.
En se retournant, il découvre que le mur du fond est un miroir.

■ Rédactions au choix (15 points)

Sujet 1 (sujet d'imagination)

Monsieur Salomon a sonné encore une fois…
Imaginez en une vingtaine de lignes le dialogue entre Monsieur Salomon et la voyante. Vous pouvez vous inspirer d'indices présents dans cet extrait : « femme blonde… ».

Sujet 2 (sujet de réflexion)

Marabouts, voyants, médiums, « quimboseurs », « gadé zafé »… : beaucoup de gens ont recours à ces personnes. Même les médias (chaînes de télévision, radio…) leur donnent la parole. Le comprenez-vous ? Pensez-vous que notre société en a véritablement besoin ? Vous exposerez votre réflexion dans un texte organisé d'une vingtaine de lignes, illustré d'arguments et d'exemples précis.

Découvrir le sujet

▶ Les questions
Grammaire
– Discours rapporté.

Vocabulaire
– Relevés justificatifs.

Écriture
– Hypothèses de lecture.

▶ Les rédactions
Sujet 1
• Lisez le Point clé 3 : « Écrire un dialogue ».
• Dans ses propos, la voyante tiendra compte de l'âge de Monsieur Salomon et de son passé.

Sujet 2
• Lisez le Point clé 6 : « Écrire un passage argumentatif ».
• Le sujet pose deux questions auxquelles vous devrez répondre dans votre rédaction.

Patrick Bard

La Frontière
Éditions du Seuil, 2002

Toni Zambudio, journaliste madrilène qui a grandi au Mexique, se rend à Ciudad Juarez, ville frontalière mexicaine, pour une enquête. Il découvre alors les « colonias », bidonvilles qui fleurissent en périphérie des grandes villes.

Toni conduisait lentement. Après avoir dépassé le marché central, il avait emprunté l'*avenida* 16 de Septiembre[1] qui s'enfonçait comme un coup de fusil vers les faubourgs, à l'ouest de la ville.

Bientôt, il n'y avait plus eu que des maisons basses, des marchands de
5   pièces de voitures d'occasion, de jantes dépareillées et des réparateurs de pneus, de pots d'échappement. Il avait longé des *taquerias*[2] où l'on vendait du *menudo*[3], avait cherché en vain à se rappeler à quoi ce plat pouvait bien ressembler, et, pour finir, il avait tourné dans la *calle*[4] Chiapas qui s'élevait en direction d'un belvédère[5] pouilleux. Le bitume, d'abord truffé
10   de nids-de-poule, avait bientôt disparu pour faire face à une piste défoncée. […]

Il s'était bientôt retrouvé entouré de cabanes de bric et de broc. Les constructions de parpaings bruts et de palettes de déchargement d'occasion s'étalaient sur la colline en un paysage de désolation. Du linge rapiécé
15   séchait sur des fils. Les eaux usées des habitations ruisselaient en cascades sur les terrasses étayées par des murettes de pneus lisses empilés.

Vers les hauteurs, les masures avaient pris un aspect plus primitif encore, uniquement construites avec des cartons d'emballage et du papier goudronné en guise de toiture. Des milliers de sacs plastique jonchaient
20   le sol, s'accrochaient aux buissons de *mesquite*[6] rabougris comme des pendus. La fumée des feux de camp montait vers le ciel et le soleil descendait déjà sur El Paso et le Texas. À dix kilomètres au nord-ouest s'allumaient les premières lumières des États-Unis. Des gamins sales et nus jouaient, assis dans la boue d'une flaque d'eau savonneuse. Zambudio s'était arrêté
25   pour leur demander où vivait la famille Cruz. Le cadavre gonflé d'un chien gisait sur le bas-côté.

Aussi loin que portait le regard, le bidonville avait grignoté l'espace.

Le journaliste avait essayé d'imaginer ces territoires immenses, vierges encore, peuplés uniquement d'Apaches et de Tarahumaras[7]. Une éternité 30 s'était écoulée, depuis.

Ne restait que l'odeur un peu âcre d'égout en plein air, mêlée au fumet des *frijoles*[8] qui cuisaient au fond des cabanes. Une odeur de misère.

---

1. *Avenida* 16 de Septiembre : avenue du 16 septembre.
2. *Taquerias* : mot espagnol (du Mexique) ; petites boutiques où l'on vend des *tacos* (galettes de maïs garnies de viande).
3. *Menudo* : abats, viande de basse qualité.
4. *Calle* : rue.
5. Belvédère : endroit depuis lequel on jouit d'une belle vue.
6. *Mesquite* : arbuste typique du Mexique.
7. *Tarahumaras* : peuple indien d'Amérique.
8. *Frijoles* : haricots mexicains.

■ Questions (15 points)

I. LA DÉCOUVERTE DU BIDONVILLE   5 POINTS

▶ **1.** « Les constructions de parpaings bruts [...] d'un chien gisait sur le bas-côté » (lignes 12 à 26).
Quel est le temps dominant dans ce passage ? Justifiez son emploi. *(1 point)* *les ph, s'étalaient, e 15 séchait, els s... s'égouttent ip dominant = impft. Il est utilisé pour la description du bidonville*

▶ **2. a)** Relevez dans les lignes 4 à 26 les différents synonymes du mot « maisons » (ligne 4), ainsi que les termes désignant les matériaux utilisés pour la construction des maisons. *(1 point)*
b) Quelle évolution constatez-vous dans cette description du bidonville ? *(1 point)* *les mots utilisés pour l'appellation des maison sont de plus en plus pauvres, cabane pour finir à carton*

▶ **3.** Décomposez le mot « bidonville » (ligne 27) et expliquez-le. *(1 point)* *bidon = désigne la matière dont sont constituées la ville.*

▶ **4.** En conclusion, montrez en quelques lignes que la découverte du bidonville par le journaliste se fait de manière progressive. *(1 point)* *maisons peu à peu → construite. commerce route → piste*

II. L'HOMME ET LA NATURE   4 POINTS

▶ **5.** Relevez les termes appartenant au champ lexical de la nature à partir de la ligne 12. *(0,5 point)*

▶ **6.** Dites en quelques lignes quelle place occupe la nature dans le bidonville. *(1,5 point)* *l'homme a saccagé la nature place grande végétaux : rabougris minéraux : mort*

▶ **7.** « … le bidonville avait grignoté l'espace » (ligne 27).
Quelle figure de style est utilisée dans ce passage ? Quel est son effet ?
(1 point) *metaphore* *bidonville comparé au monstre*
pejoratif

▶ **8.** « Le journaliste avait essayé d'imaginer […] depuis » (lignes 28 à 30).
Reliez ces deux phrases simples par une conjonction de coordination
appropriée. *mais* *qu'il avait depuis*
Pourquoi l'auteur n'a-t-il pas choisi cette solution ? *(1 point)* *il a mis*
2 phrases différentes parce qu'il veut attendre à
km 6/ élément.

III. UNE DÉNONCIATION DE LA MISÈRE   6 POINTS

▶ **9. a)** Citez l'unique phrase du texte où est mentionnée une présence
humaine dans le bidonville. Pourquoi est-elle particulièrement évoca-
trice ? *(1 point)* *Des gamins sales et nus jouaient … sales d'flaque*
*Pas la mise humaine d/ nus et … */
b) « Le cadavre gonflé d'un chien gisait sur le bas-côté » (lignes 25-26).
Quel effet cette évocation produit-elle sur le lecteur ? Justifiez votre
réponse. *(1 point)* *Le lecteur est touché par la mort par indifférence*
On voit que le ne fine … nus sales moment
il tient à eux — on voient ds l'… hau plus chien
c) Trouvez dans le texte deux comparaisons qui évoquent aussi la mort
violente. *(0,5 point)*

▶ **10.** « La fumée des feux de camp montait vers le ciel et le soleil descendait déjà sur El Paso et le Texas » (lignes 21-22).
Remplacez « et » par une conjonction de subordination dont vous préciserez la valeur. *(1 point)* *alors que* *simultanéité*

▶ **11.** « À dix kilomètres au nord-ouest s'allumaient les premières lumières
des États-Unis » (lignes 22-23).
USA =
opulence
Comment le sujet du verbe est-il mis en valeur ? Dans quelle intention ?
(0,5 point) *inverse c'est le sujet. On est dans une*
… ambiance impression terne et là c vis s'alluma
… a une opposition très marqué …

▶ **12.** Quelle est la particularité syntaxique de la phrase finale ? Quel effet
produit-elle ? *(1 point)* *… elle résume toute la pauvreté et*
… bidonville en un mot. Je brutal
condamnation sentence

▶ **13.** En conclusion, montrez en quelques lignes comment le texte
dénonce la misère. *(1 point)*
A = les lieux
B = les "habitants"
C = absence

■ Réécriture (4 points)

« Il avait longé des *taquerias* […] en direction d'un belvédère pouilleux »
(lignes 6 à 9). Remplacez le plus-que-parfait et l'imparfait par le passé
composé et le présent. *Il a longé des taquerias où l'on*
rend du fil, à chercher en vain à quoi ce plat peut
ressembler et pour finir il a tourné ds la ruelle
chiapas qui s'étire d'un belvédère pouilleux

■ Dictée (6 points)

Patrick Bard
La Frontière
Éditions du Seuil, 2002

Zambudio avait coupé à droite, par un sentier, une ruelle sans nom comme le lui avaient indiqué les gosses, puis il était descendu vers un groupe de cabanes en contrebas. Tous les regards convergeaient vers lui. À mi-pente, il s'était arrêté, avait pénétré dans une petite allée entre deux huttes de carton. Un homme assez jeune était occupé à fracasser à coups de marteau une vieille batterie de voiture, tandis qu'un autre, plus vieux, contemplait le crépuscule naissant dans un fauteuil à bascule qui avait connu des jours meilleurs, quelques décennies plus tôt.

Écrire au tableau : Zambudio.

■ Rédaction (15 points)

Sujet

Toni Zambudio écrit une lettre au maire de Ciudad Juarez pour exprimer son indignation et demander de meilleures conditions de vie pour les habitants du bidonville. En tant que journaliste, il fera publier cette lettre dans son journal.

Consignes

Dans la première partie de sa lettre, le journaliste exprimera ses sentiments : il emploiera des procédés d'écriture propres à émouvoir ses lecteurs (le maire et les lecteurs du journal).
Dans la seconde partie du texte, il cherchera à convaincre le maire de mettre en œuvre les mesures concrètes qu'il propose (discours argumentatif).
Vous respecterez la situation d'énonciation propre à une lettre et vous vous appuierez sur les informations contenues dans le texte.
Il sera tenu compte, dans l'évaluation, de la correction de la langue et de l'orthographe.

Découvrir le sujet

▶ Les questions

Grammaire
– Nature et fonction.
– Temps et modes verbaux.
– Transformation en propositions coordonnées.
– Transformation en proposition subordonnée.
– Syntaxe.
– Valeurs des temps verbaux.

Vocabulaire
– Champ lexical.
– Formation de mots.
– Relevés justificatifs.
– Sens de mots ou d'expressions.
– Synonymes.

Écriture
– Figure de style.
– Hypothèses de lecture.

▶ La rédaction
• Lisez les Points clés 5 et 6.
• Utilisez les informations du texte sur le bidonville pour trouver des arguments.

Jean-Denis Bredin

Un enfant sage
Gallimard, 1990

Julien va bientôt fêter ses douze ans. Ses parents sont séparés : il vit avec son père.

Le jour de ses dix ans il avait décidé de devenir professeur. Mais il avait changé d'avis. Jamais il ne serait capable de tenir une classe, d'interpeller les bavards, d'imposer le silence. Jamais il ne pourrait parler à trente gar-çons. Il n'avait pas renoncé à devenir président de la République, mais
5 ceci lui paraissait une échéance lointaine, qu'il préparerait plus tard. Julien s'estimait capable de parler à des foules immenses, venues de tous les pays, car il serait alors hors de lui-même, changé par l'aventure, mais l'impossible était de s'adresser à quelques enfants, de les déranger, de les décevoir. Il serait gêné, il lirait dans les yeux l'impatience, il ne ferait que
10 lire dans leurs yeux, il devrait recommencer le lendemain, et ce lui sem-blait au-dessus de ses forces.

Il regrettait son impuissance, car il eût aimé tout savoir et tout ensei-gner. Il admirait ses professeurs, et, à la différence de ses camarades, il ne distinguait pas entre les bons et les mauvais. [...]
15 Il sera médecin. Julien regarde ce docteur rond, trop serré dans son gilet, que le père appelle chaque fois que la température monte. Le doc-teur s'assied au bord du lit, sort gravement ses instruments, ausculte le malade de la tête aux pieds, prend sa tension, tapote sur son ventre, il médite, les yeux presque fermés. Parfois il consulte ses livres. Il écrit en
20 réfléchissant, assemblant, ordonnant des remèdes magiques. Tant de science et de simplicité émerveillent Julien. Ce métier sera le sien. Quand il aura longtemps exercé la médecine, et découvert des remèdes nouveaux, il s'occupera de devenir président de la République. Julien sait qu'il lui faudra beaucoup de patience. Il prévoit, en secret, les étapes. Être aimé de
25 tout un peuple, travailler jour et nuit à son bonheur, rendre les pauvres riches, consoler les mourants, et puis un beau jour... il imagine une fin tragique, non pas crucifié, mais incompris, oublié. Sauver le monde, être chassé par lui, écrire des vers sublimes que d'autres publieront, avec, bien

[annotations manuscrites en marge :] mé-/ médecin/ faisait/ son/ diagnostic en/ regardant/ les/ urines ?

sûr, au dernier acte, l'éclatante revanche, la montée au podium, la montée
30 au ciel, dans un délire d'applaudissements ! Être admirable, supporter
l'injustice par devoir, par héroïsme, puis recevoir récompense au matin de
la distribution des prix, au jour du jugement dernier, c'est bien cela un
destin superbement réussi.

■ Questions (15 points)

I. DEUX MÉTIERS POSSIBLES   6,5 POINTS

▶ **1.** Quels sont les deux métiers que Julien peut vraiment exercer s'il fait
des études ? *(1 point)*

▶ **2.** Quel est le système temporel employé dans les deux premiers
paragraphes ? *(1 point)*

▶ **3.** « serait » (ligne 2) : à quel temps ce verbe est-il conjugué ? Retrouvez
deux formes verbales identiques dans le premier paragraphe. *(1 point)*

▶ **4.** « Il sera médecin » (ligne 15) : quels sont le temps et le mode de ce
verbe ? Pourquoi l'auteur a-t-il choisi ce mode et ce temps ? *(1 point)*

▶ **5.** Quelles sont les raisons qui poussent Julien à choisir son métier ?
(1,5 point)

▶ **6.** Relevez une phrase qui montre l'admiration que Julien a pour le
médecin. *(1 point)*

II. UN JEUNE GARÇON AMBITIEUX
ET RÊVEUR   8,5 POINTS

▶ **7.** Relevez dans le texte deux phrases qui expriment le souhait de Julien
d'avoir, un jour, un métier très prestigieux. *(1 point)*

▶ **8.** Montrez que Julien a des sentiments religieux et relevez deux expressions qui le prouvent. *(1 point)*

▶ **9.** À quel personnage historique se compare Julien, sans le dire vraiment, vers la fin du texte ? Relevez le mot qui prouve qu'il s'identifie à
lui. *(1 point)*

▶ **10.** « superbement » (ligne 33) : quelle est la nature grammaticale de ce
mot ? Comment est-il formé ? Trouvez dans le texte un mot formé de la
même façon. *(1,5 point)*

▶ **11.** Relevez les mots appartenant au champ lexical du malheur et ceux
qui appartiennent à celui du succès. *(2 points)*

▶ **12.** À quel moment Julien sera-t-il vraiment récompensé de tous ses efforts ? *(1 point)*

▶ **13.** Quelles sont les deux étapes successives par lesquelles Julien devra passer pour mériter cette récompense ? *(1 point)*

■ Réécriture (5 points)

À partir de la ligne 20, « Tant de science et de simplicité », jusqu'à la ligne 24, « Il prévoit, en secret, les étapes », remplacez « Julien » par « Julien et Pierre » et effectuez les modifications nécessaires.

■ Dictée (5 points)

Érik Orsenna
D'après *Les Chevaliers du subjonctif*
Stock, 2004

Je passe ainsi des heures à envisager l'avenir. Avez-vous déjà remarqué la beauté de ce verbe « envisager » ? Je regarde le visage de l'avenir. Devant tous ces schémas et tous mes enthousiasmes pour les mots, mon frère Thomas ricane :
– Le métier, les filles s'en moquent ! Seul l'amour les intéresse. »

Écrire au tableau : Thomas.

■ Rédactions au choix (15 points)

Sujet 1 (sujet d'imagination)
« Et puis un beau jour… vous devenez professeur… »
Vous êtes professeur : racontez une heure de cours face à une classe de trente filles et garçons, « bavards » et remplis « d'impatience ». Vous décrirez le comportement des élèves et ferez part de vos sentiments et réactions.

Consignes
Votre texte comptera vingt lignes ou plus.
·Vous pourrez utiliser le présent, le futur et le passé composé comme système de temps pour vos verbes, et introduirez quelques courts passages de dialogues.

Sujet 2 (sujet de réflexion)

Comme le héros, aimeriez-vous être médecin ? Justifiez votre réponse par trois arguments au moins pour ou contre, en indiquant les avantages et les inconvénients de ce métier. N'oubliez pas de donner des exemples (vingt lignes minimum).

Découvrir le sujet

▶ Les questions

Grammaire
– Nature et fonction.
– Modes et temps verbaux.
– Valeurs des temps verbaux.

Vocabulaire
– Champ lexical.
– Formation de mots.
– Relevés justificatifs.

Écriture
– Hypothèses de lecture.

▶ Les rédactions

Sujet 1
• Lisez le Point clé 1 : « Écrire un récit ».
• Tenez compte de votre expérience d'élève !

Sujet 2
• Lisez le point clé 6 : « Écrire un passage argumentatif ».
• Votre devoir comprendra deux paragraphes, un pour les avantages, un autre pour les inconvénients du métier de médecin.

15

BORDEAUX, CAEN, CLERMONT-FERRAND, LIMOGES,
NANTES, ORLÉANS-TOURS, POITIERS, RENNES
SÉRIES TECHNOLOGIQUE ET PROFESSIONNELLE
JUIN 2006

Évelyne Brisou-Pellen

« Elle s'appelait Tara », dans *Des mots pour la vie : contes*
Édition Pocket Jeunesse, 2000

Manuel franchit la palissade bleue et se glissa dans le terrain vague. C'était un raccourci qu'il prenait tous les mercredis pour aller à son entraînement de foot. Il n'y avait personne de ce côté-là. Comme on était en mai, l'herbe était déjà haute et on distinguait clairement, au milieu, le

5 sentier dessiné semaine après semaine par les pieds du jeune footballeur (footballeur amateur seulement, malheureusement !). Bon, Manuel n'était pas mauvais, et il se disait que, peut-être, il ferait une grande carrière, qu'il deviendrait aussi célèbre que...

Il s'arrêta net. Il y avait quelqu'un sur son sentier. Une tête énorme,

10 de grosses mâchoires entrouvertes, des dents blanches et acérées, une langue pendante. Un chien monstrueux. Qui lui barrait le passage.

Manuel demeura là, sans plus oser avancer ni reculer. Normalement, il n'avait pas peur des chiens, mais celui-là était presque aussi grand que lui. S'il s'avançait, le chien pourrait se croire obligé de défendre son territoire,

15 et l'attaquer. S'il s'enfuyait, le chien, pensant qu'il avait de mauvaises intentions, pourrait le poursuivre, et alors il l'aurait rattrapé en trois bonds.

Le cœur battant affreusement, Manuel commença à marcher à reculons. Le chien le fixait de ses yeux sombres, sans bouger. Puis il dressa légèrement ses oreilles pendantes et se leva avec une lenteur menaçante. Sans

20 plus réfléchir, Manuel se retourna et se mit à courir.

Il ne fallait jamais faire ça. Jamais ! Il le savait pourtant ! Il entendait... il entendait le souffle du chien derrière lui, du chien qui se rapprochait. Alors, il s'arrêta brusquement et se retourna en mettant son sac de sport devant son visage.

25 Au lieu de lui sauter dessus, le chien stoppa et renifla le sac. Il avait un museau noir, des yeux cerclés de noirs. Tout le reste de son corps était beige. Manuel respira mieux. Il venait de comprendre.

« Tu as faim ? » demanda-t-il d'une voix étranglée.

Et il ouvrit son sac pour en sortir son goûter : un gros morceau de pain

30 avec du beurre et du chocolat. Le chien ne se fit pas prier et l'engloutit

d'un coup, en faisant bien attention malgré tout à ne pas avaler en même temps la main du garçon.

Ouh, bon sang, ça allait mieux ! Il ne s'agissait pas d'un monstre, mais juste d'un très grand chien, avec de longs poils et une belle queue en pana-
35 che. Manuel n'en avait jamais vu de pareil.

« Il faut que je file, dit-il en reprenant son chemin, sinon je vais rater l'entraînement ».

Le chien le suivit un moment des yeux puis, comme s'il avait soudain pris une décision, le rejoignit en courant. Manuel se retourna.
40 « Il faut que tu restes là, protesta-t-il. Je ne peux pas t'emmener. »
Puis il reprit sa route.

Le chien se mit aussitôt à marcher derrière lui. Manuel haussa les épaules.

« Tu ne sais pas ce que c'est qu'un entraînement de foot ?… Ouais…
45 eh ben, ce n'est pas pour les chiens. J'aimerais bien devenir footballeur professionnel, tu sais. (Il soupira.) Mais en réalité, je ne suis pas assez bon, et je crois que je n'y arriverai jamais. C'est juste pour rêver, quoi… Tu rêves, toi, des fois ? »

Le chien lui jeta un coup d'œil. Il trottinait maintenant à ses côtés et
50 semblait ne pas perdre une miette de ce qu'il disait.

« Bon, je suis arrivé, il faut qu'on se quitte. Salut ! »

Manuel ouvrit le portail du stade et le referma sur lui. Un moment, le chien resta là. Ensuite Manuel tourna au coin des vestiaires et ne le vit plus.
55 Lorsqu'il quitta le stade, il était un peu déprimé. Il venait de manquer un but facile et il s'était fait huer par les autres. Il ouvrit rageusement la grille qui donnait sur le terrain vague et resta stupéfait : le chien était tou-jours là, comme s'il l'attendait.

« Re-salut, bougonna-t-il. Toi, tu as de la veine de ne pas jouer au foot.
60 J'en ai marre, plus que marre. »

Il referma la grille et s'engagea sur le sentier. Le chien lui emboîta le pas. […]

« Pourquoi est-ce que tu me suis ? demanda-t-il. Tu es perdu ? »

Le chien le considérait avec attention, comme pour bien comprendre
65 ce qu'il disait.

« … Ouais, je vois : tu es perdu. Moi, je te garderais bien mais, tu sais, ça ne va pas être possible. Tu dois manger presque autant qu'un éléphant et je ne sais pas si tu es au courant que la nourriture ça coûte cher. Qu'est-ce que je peux faire de toi ? »

■ Questions (15 points)

I. LE HÉROS   5 POINTS

▶ **1.** Présentez le héros de l'histoire (lignes 1 à 8). *(2 points)*

▶ **2.** Quel est son rêve ? *(1 point)*

▶ **3.** Le héros utilise parfois un langage familier.
Relevez deux expressions qui le montrent. *(2 points)*

II. LE CHIEN (LIGNES 9 À 20)   3 POINTS

▶ **4.** Le chien apparaît d'abord au héros comme monstrueux.
Relevez quatre mots ou expressions qui le montrent. *(2 points)*

▶ **5.** Définissez le mot « acérées » (ligne 10). *(1 point)*

III. LA RENCONTRE (LIGNES 21 À 69)   7 POINTS

▶ **6.** Quel sentiment éprouve tout d'abord Manuel en voyant le chien ?
(1 point)

▶ **7.** Pourquoi, en réalité, le chien suit-il Manuel ? *(2 points)*

▶ **8.** Qu'expriment les répétitions dans la phrase :
« Il entendait… il entendait le souffle du chien derrière lui, du chien qui
se rapprochait » (lignes 21-22) ? *(2 points)*

▶ **9.** Quelle « décision » (ligne 38) semble avoir pris le chien ? Justifiez
votre réponse. *(2 points)*

■ Réécriture (5 points)

« Manuel demeura là, sans plus oser avancer ni reculer. Normalement, il
n'avait pas peur des chiens, mais celui-là était presque aussi grand que lui.
S'il s'avançait, le chien pourrait se croire obligé de défendre son territoire,
et l'attaquer » (lignes 12 à 15).
Réécrivez ce passage à la troisième personne du pluriel. Commencez votre
texte par « Ils demeurèrent… » et effectuez toutes les transformations
nécessaires.

■ Dictée (5 points)

Daniel Meynard
Dans la gueule du vent
L'École des loisirs, 2000

La Bête, je la tuerai.

Dès le printemps, je repartirai sur ses traces. Il ne neigera peut-être plus mais l'herbe sera assez haute, la terre suffisamment humide pour trahir son passage. Je ne pourrai pas me tromper. J'irai jusqu'à elle. Quand elle m'apercevra, elle tentera une nouvelle fois de fuir et je la suivrai dans la forêt. Épuisée, elle s'adossera à un érable pour reprendre son souffle mais je ne lui en laisserai pas le temps.

─────────

Signaler la majuscule à « Bête ».

■ Rédactions au choix (15 points)

Sujet 1 (sujet d'imagination)
Dans un texte d'environ trente lignes, imaginez une suite à ce texte en respectant les temps du récit.

Sujet 2 (sujet de réflexion)
Manuel aimerait beaucoup garder le chien. Il écrit une lettre à ses parents pour les persuader de garder le chien. Il raconte sa rencontre et développe trois arguments pour les convaincre.
Écrivez cette lettre (vingt-cinq lignes environ).

Découvrir le sujet

▶ Les questions
Vocabulaire
– Registre de langue.
– Relevés justificatifs.
– Sens de mots ou d'expressions.

Écriture

– Figure de style.

– Hypothèses de lecture.

▶ Les rédactions

Sujet 1

• Lisez le Point clé 2 : « Écrire une suite de texte ».

Sujet 2

• Lisez le Point clé 5 : « Écrire une lettre ».

• Pour trouver des arguments, relisez le texte d'Évelyne Brisou-Pellen : vous comprendrez ainsi en quoi le chien pourrait aider l'adolescent dont il est question dans cet extrait.

Maxence Fermine

L'Apiculteur
Albin Michel, 2000

Aurélien Rochefer était devenu apiculteur par goût de l'or. Non qu'il fût avide de richesses, ni même qu'à récolter le miel il eût la moindre chance de s'enrichir, mais parce que, en toute chose, il recherchait ce qu'il appelait bien singulièrement l'or de la vie.

5　C'était un être en quête de beauté. Pour lui l'existence ne valait la peine d'être vécue que pour les quelques instants de magie pure qui la traversaient.

En 1885, Aurélien eut vingt ans et il commença à rêver des abeilles. Il avait le projet de construire une dizaine de ruches et de faire du miel. Il
10　savait qu'il allait devenir le seul apiculteur de Langlade[1] et le miel qu'il vendrait serait le meilleur de toute la Provence.

Et ce projet, aussi insolite[2] fût-il, suffisait à faire de sa vie un rêve.

Pour Aurélien, la vie était une curieuse abeille d'or qui brille au loin, s'envole, se grise de parfum en parfum, se cogne aux vitraux du soleil et
15　cherche, dans l'immensité du ciel, le nectar de sa propre fleur.

En vérité, Aurélien Rochefer avait de tout temps possédé le goût de l'or.

En premier lieu parce qu'il était né dans un tableau de soleil et de lumière. Un tableau qu'on nommait la Provence.

Et aussi parce qu'il était chercheur d'or.

20　Aurélien savait qu'à force de le chercher, il en manquerait probablement toute sa vie. Mais il avait surtout l'intuition que son existence serait faite de liberté et de bonheur.

Un jour, alors qu'il était enfant, une abeille chargée de pollen était venue se poser sur sa main et lorsqu'elle s'était envolée, il lui était resté sur
25　la paume comme une poudre d'or qui coupait sa ligne de vie.

De ce jour, il avait rêvé de miel et avait choisi de devenir apiculteur.

À Langlade, la richesse, c'était la lavande. Et Léopold Rochefer, le grand-père d'Aurélien, le savait bien, lui qui était le plus gros producteur de lavande du pays.

30 Les deux hommes vivaient seuls dans un mas ocre aux volets bleus et cultivaient une terre mauve où tournoyaient des milliers d'insectes sous un soleil de plomb.

Pour Léopold, l'or, c'était le bleu de la lavande. Pour Aurélien, c'était le jaune du miel.

35 – À chacun sa couleur, répétait à l'envi Clovis, le patron du Cabaret vert, le café du village, qui, lui, avait choisi la sienne le jour où il avait noyé son premier chagrin d'amour dans un verre d'absinthe.

À côté de l'absinthe de Clovis et de la lavande de Léopold, le miel, si précieux et si coloré fût-il, ne valait pas grand-chose. Le vieil homme
40 l'avait répété de nombreuses fois à son petit-fils.

– Vois-tu, Aurélien, l'apiculture, ça ne mène jamais très loin. Et surtout ça ne suffit pas pour vivre.

Aurélien avait aussitôt répondu :

– Erreur. Le miel, c'est ma vie.

---

1. Langlade : village provençal.
2. Insolite : inhabituel.

■ Questions (15 points)

I. UN RÉCIT AU PASSÉ   4 POINTS

▶ **1. a)** Quels sont les deux temps verbaux le plus fréquemment utilisés ? *(1 point)*

b) Donnez leurs valeurs respectives en citant des exemples pris dans les deux premiers paragraphes. *(1 point)*

▶ **2.** Les événements sont-ils racontés dans l'ordre chronologique ? Vous justifierez votre réponse d'après le temps des verbes. *(1 point)*

▶ **3.** Quels sont les différents discours qui sont utilisés ? *(1 point)*

II. UN TABLEAU DE SOLEIL ET DE LUMIÈRE   5 POINTS

▶ **4.** Relevez les différentes couleurs qui apparaissent dans le texte. À votre avis, qu'apportent-elles au texte ? *(1,5 point)*

▶ **5.** « Non qu'il fût avide de richesses… » (lignes 1-2).
Donnez la fonction de cette proposition. *(1 point)*

▶ **6.** Citez une expression du texte qui explique la fascination d'Aurélien pour l'or. *(1,5 point)*

▶ **7.** Comment est née sa vocation d'apiculteur ? *(1 point)*

III. LA QUÊTE D'AURÉLIEN   6 POINTS

▶ **8.** « … aussi insolite fût-il » (ligne 12).
a) Quel est le lien logique exprimé ? *(0,5 point)*
b) Réécrivez cette proposition à l'aide d'un autre moyen de subordination. *(1 point)*

▶ **9.** Quelle est la dénotation du mot « or » ? *(0,5 point)*
Quelles sont ses connotations ? *(1,5 point)*

▶ **10.** En quoi consiste, pour Aurélien, « l'or de la vie » (ligne 4) ? *(1 point)*

▶ **11.** Expliquez le sens de la dernière phrase (ligne 44). *(1,5 point)*

■ Réécriture (5 points)

Réécrivez le passage des lignes 20 à 25 : « Aurélien savait […] coupait sa ligne de vie » en remplaçant « Aurélien » par « Les deux frères ».

■ Dictée (5 points)

Hugues Aufray
Les Crayons de couleurs, 1966

Un petit garçon est venu me voir tout à l'heure avec des crayons et du papier. Il m'a dit : « Je veux dessiner un homme en couleur, dis-moi comment le colorier. Faut-il le peindre en bleu, en noir ou en blanc ? »

Si tu le peins en bleu, fils, il ne te ressemblera guère. Si tu le peins en rouge, on viendra voler sa terre, si tu le peins en jaune, il aura faim toute sa pauvre vie, si tu le peins en noir, plus de liberté pour lui.

Alors le petit garçon est rentré chez lui avec son beau cahier sous le bras. Il essaya de dessiner toute la nuit, mais il n'y arriva pas.

S'il fallait trouver une morale à ma chanson, je dirais que c'est assez facile : il faut dire à tous les petits garçons que les couleurs ne font pas l'homme.

■ Rédaction (15 points)

Dans une conversation avec vos parents, vous leur exposez votre rêve d'aventures le plus cher, mais vos parents trouvent vos idées quelque peu fantaisistes et désapprouvent vos projets.

Racontez la scène dont vous préciserez le cadre et les circonstances. Puis dans un dialogue nourri d'arguments convaincants, vous défendrez votre point de vue.

Découvrir le sujet

▶ Les questions

Grammaire
– Nature et fonction.
– Rapport logique.
– Transformation en proposition subordonnée.
– Temps verbaux.
– Valeur des temps verbaux.

Vocabulaire
– Champ sémantique.
– Relevés justificatifs.
– Sens de mots ou d'expressions.

Écriture
– Formes de discours.
– Indices de temps.
– Hypothèses de lecture.

▶ La rédaction

• Lisez les Points clés 3 et 6, en particulier ce qui concerne le dialogue argumentatif.

• Votre dialogue doit faire partie d'un récit qui présente les circonstances de la conversation. Ne l'oubliez pas !

Maxence Fermine
Neige
Artea, 1999

À la fin du spectacle de la belle étrangère, Soseki le samouraï est sous le charme.

Lorsqu'elle eut terminé son spectacle, qu'enfin elle revint sur terre, Soseki ne put s'empêcher d'aborder la belle étrangère. Il s'approcha d'elle, découvrit la finesse de ses traits, le contour de sa bouche, la ligne de ses sourcils et comprit aussitôt que jamais plus il ne pourrait oublier ce visage.
5 Il la regarda dans les yeux et elle le dévisagea à son tour. Il n'y eut pas besoin d'en dire davantage. Elle se mit à sourire et, dans ce sourire, Soseki perdit son âme.

Il mit un genou à terre, jeta son sabre à ses pieds et lui dit :
– Vous êtes celle que je cherchais.
10 Neige ne cherchait personne. Mais elle trouva le geste de Soseki d'une telle beauté qu'elle s'en contenta. Et elle l'épousa.

Les premières années furent heureuses. Une naissance vint consolider les liens du couple. C'était une fille. Elle possédait la beauté diaphane[1] de sa mère et les cheveux noirs de son père. On l'appela Flocon du prin-
15 temps.

Leur vie était faite de paix et de silence. Neige s'acclimatait lentement au Japon. Elle avait parfois le mal du pays mais ne se plaignait jamais. Ce qui lui manquait le plus, c'était pourtant autre chose : c'était son métier de funambule.
20 Une nuit, elle se mit à rêver qu'elle volait dans les airs. Le lendemain, en se réveillant, elle y pensa fortement. Puis elle n'y pensa plus.

L'hiver arriva. Puis le printemps. L'enfant se mit à grandir dans le ravissement de la lumière. Neige était heureuse. Dans une main elle tenait l'amour de Soseki, dans l'autre main son propre cœur qu'elle offrait à
25 l'enfant. Et ce fragile balancier suffisait à la tenir en équilibre sur le fil du bonheur.

Un jour, pourtant, l'équilibre de ce balancier devint si fragile qu'il se rompit.

Un jour, l'affection prodiguée par ces deux êtres chers ne lui suffit plus
30 pour être heureuse. La vie dans les airs lui faisait cruellement défaut. Elle
avait à nouveau soif de vertige, de frissons, de conquête. Elle désirait tout
simplement redevenir funambule.

Elle demanda à Soseki le droit d'organiser une dernière parade.

---

1. Diaphane : transparente, claire.

■ Questions (15 points)

▶ **1. a)** Où se passe le récit ? *(0,5 point)*
b) Justifiez votre réponse en recopiant le texte. *(0,5 point)*

▶ **2. a)** Relevez le nom des trois personnages. *(0,5 point)*
b) Précisez leur lien de parenté. *(1 point)*

▶ **3.** La vie de Neige se déroule en trois épisodes. Délimitez-les en précisant les numéros de lignes et donnez-leur un titre. *(1,5 point)*

▶ **4. a)** « Un jour, l'affection prodiguée par ces deux êtres chers ne lui suffit plus… » (ligne 29). Expliquez cette phrase. *(1 point)*
b) Citez deux expressions du texte qui annoncent une évolution dans la vie de Neige. *(3 points)*

▶ **5. a)** Relevez le champ lexical du métier exercé par Neige (4 mots minimum). *(1 point)*
b) Relevez l'image utilisée aux lignes 27-28. *(0,5 point)*
c) Expliquez-la. (2 points)

▶ **6. a)** Quels sont les deux temps les plus utilisés dans ce texte narratif ? *(1 point)*
b) Expliquez leur utilisation dans ce texte. *(1 point)*

■ Réécriture (5 points)

Réécrivez les lignes 1 et 2 jusqu'à « Il s'approcha d'elle » en mettant les verbes au présent de l'indicatif et en remplaçant « elle » par « elles ». Soulignez les modifications.

■ Dictée (5 points)

Maxence Fermine
Neige
Artea, 1999

Soseki ne se lassait pas de la regarder. Sa femme était une danseuse hors pair. Sur ce fil, Neige était si heureuse, si belle, si aérienne que chaque jour il remerciait le ciel de la lui avoir offerte.

Ses cheveux étaient blonds. Son regard était clair.

Et elle marchait dans les airs.

Écrire au tableau : Soseki, Neige.

■ Rédactions au choix (15 points)

Sujet 1 (sujet d'imagination)
Imaginez une suite à ce texte. Elle comportera un dialogue et respectera les temps du récit.

Sujet 2 (sujet de réflexion)
Vous allez vous aussi exercer un métier. Racontez-le dans un texte structuré qui comportera une introduction, un développement (avantages et inconvénients de ce métier), une conclusion (justifications de votre choix).

Découvrir le sujet

▶ **Les questions**
Grammaire
– Temps et modes verbaux.
– Valeurs des temps verbaux.

Vocabulaire
– Champ lexical.
– Relevés justificatifs.
– Sens de mots ou d'expressions.

Écriture

– Figure de style.

– Hypothèses de lecture.

– Indices de lieu.

▶ Les rédactions

Sujet 1

• Lisez les Points clés 2 et 3.

• Dans le dialogue, Neige devra expliquer son désir de redevenir funambule ; Soseki fera des objections.

Sujet 2

• Lisez le Point clé 6 : « Écrire un passage argumentatif ».

• Vous exprimerez votre point de vue à la 1re personne du singulier.

Max Gallo

Le Pont des hommes perdus
Le Grand Livre du Mois, 2000

Tout à coup le silence.

Le capitaine Teyssier avait redressé la tête.

Il avait regardé par l'une des meurtrières aménagées entre les sacs de sable entassés devant les fenêtres de cette ferme fortifiée qu'il avait occu-
5 pée avec une vingtaine d'hommes, à la fin du mois de mai 1940.

Les bâtiments en pierre grise dominaient le seul pont qui franchissait l'Avron, une rivière – un torrent plutôt – encaissée, au lit encombré de gros blocs qui s'étaient détachés des falaises.

Depuis près de trois semaines – le lendemain de leur arrivée –, la
10 ferme avait été enveloppée par la rumeur sourde d'une foule en marche qui, nuit et jour, passait le pont.

C'était un bruit morne, celui d'un piétinement las, recouvert parfois par les halètements d'un moteur, les grincements des roues de charrettes, et souvent par des cris, des sanglots, et même des hurlements.

15 Une femme – c'était toujours une voix de femme – lançait sur un ton aigu un prénom, sans doute celui d'un enfant perdu dans cette cohue de fuyards que l'offensive allemande du 10 mai avait jetée sur les routes.

Les premiers jours, Teyssier avait interrogé quelques-uns de ces fugitifs, hommes âgés, femmes en noir juchées au sommet des charrettes. Il y
20 avait là des Belges, des Luxembourgeois, puis vinrent les Lorrains, les Alsaciens, des habitants des villes du nord de la France. Et même, des Parisiens.

Paris était tombé, le 14 juin. Ville ouverte, avait dit le gouvernement, et les Allemands n'avaient donc eu qu'à entrer dans la capitale et à y para-
25 der sur les Champs-Élysées.

■ Questions (15 points)

I. L'ART DU RÉCIT   5 POINTS

▶ **1.** Quel personnage observe cette scène ? Relevez un mot ou une expression justifiant votre réponse. *(1 point)*

▶ **2.** Quel est le temps dominant dans les lignes 9 à 17 ? Citez deux exemples et justifiez cet emploi. *(2 points)*

▶ **3.** Dans les lignes 9 à 17, relevez au moins quatre mots appartenant au champ lexical qui domine dans ce texte. Nommez ce champ lexical. *(2 points)*

II. L'EFFROI DE LA GUERRE   6 POINTS

▶ **4.** De quelle guerre s'agit-il ? Justifiez votre réponse de manière précise. *(0,5 point)*

▶ **5.** Relevez les indices qui précisent où se déroule la scène. Rédigez une phrase correcte reprenant ces indices. *(1,5 point)*

▶ **6.** « encaissée » (ligne 7).
a) Expliquez la formation de ce mot. *(0,5 point)*
b) Employez ce mot dans une phrase de votre invention où il aura un autre sens, que vous préciserez. *(0,5 point)*

▶ **7.** « celui d'un piétinement las » (ligne 12).
a) Donnez le sens de cette expression dans ce contexte. *(1 point)*
b) Citez un mot de la même famille que « las ». *(0,5 point)*

▶ **8.** Définissez avec vos propres mots l'ambiance qui se dégage de ce lieu ; appuyez-vous sur des expressions du texte. *(1,5 point)*

III. UN REGARD SUR L'EXODE   4 POINTS

▶ **9.** « aménagées » (ligne 3), « entassés » (ligne 4) ; donnez la nature et la fonction de ces deux termes. *(0,5 point)*

▶ **10.** « Et même, des Parisiens » (lignes 21-22). Comment appelle-t-on ce genre de phrase en grammaire ? *(1 point)*

▶ **11.** Qui sont, d'après le texte « ces fugitifs » (lignes 18-19) ? *(1 point)*

▶ **12.** Remplacez l'expression « Ville ouverte » (ligne 23) par une proposition subordonnée complétive de même sens en commençant par « Le gouvernement avait dit que… ». Faites les transformations nécessaires et respectez la concordance des temps. *(1,5 point)*

■ Réécriture (5 points)

Réécrivez les lignes 3 à 8 : « Il avait regardé […] détachés des falaises » en remplaçant les plus-que-parfaits par des passés composés et les imparfaits par des présents.

■ Dictée (5 points)

John Steinbeck
La Perle, 1950

Ils arrivèrent aux confins de la ville, là où les huttes cessent pour faire place à la cité de pierre et de ciment. Du fond des jardins secrets, leur arrivèrent le chant des oiseaux en cage et le clapotis de l'eau rafraîchissante sur les dalles brûlantes. La procession traversa la place aveuglante de lumière, devant l'église. Elle s'était grossie en chemin et, aux abords de la ville, on racontait à mi-voix, aux nouveaux arrivants, que le bébé avait été piqué, et que le père et la mère l'emmenaient chez le docteur.

■ Rédaction (15 points)

Le capitaine Teyssier reste plusieurs mois à ce poste. La même ambiance y règne. Sa femme voudrait le rejoindre. Il lui écrit pour l'en dissuader. Imaginez et rédigez cette lettre, où le capitaine Teyssier décrit le lieu et l'atmosphère ambiante afin de convaincre son épouse de ne pas venir. Vous écrirez une lettre qui respectera les règles de présentation et d'écriture propres à la correspondance.

Découvrir le sujet

▶ Les questions

Grammaire

– Nature et fonction.
– Reprises nominales.
– Temps et modes verbaux.
– Transformation en proposition subordonnée.

– Type de phrases.

– Valeurs des temps verbaux.

Vocabulaire

– Champ lexical.

– Famille de mots.

– Formation de mots.

– Relevés justificatifs.

– Sens de mots ou d'expressions.

Écriture

– Hypothèses de lecture.

▶ **La rédaction**

• Lisez le Point clé 5 pour écrire la lettre du capitaine Teyssier.

• Le texte de Max Gallo vous donne des indications précises sur la ferme. Vous devez les utiliser.

Laurent Gaudé

Le Soleil des Scorta
Éditions Actes Sud, 2004

Après une longue absence, un homme revient dans son village du sud de l'Italie.

Sur un chemin de poussière, un âne avançait lentement. Il suivait chaque courbe de la région, avec résignation. Rien ne venait à bout de son obstination[1]. Ni l'air brûlant qu'il respirait. Ni les rocailles pointues sur lesquelles ses sabots s'abîmaient. Il avançait. Et son cavalier semblait une
5 ombre condamnée à un châtiment antique[2]. L'homme ne bougeait pas. Hébété de chaleur. Laissant à sa monture le soin de les porter tous deux au bout de cette route. La bête s'acquittait de sa tâche avec une volonté sourde qui défiait le jour. Lentement, mètre après mètre, sans avoir la force de presser jamais le pas, l'âne engloutissait les kilomètres. Et le cavalier murmurait
10 entre ses dents des mots qui s'évaporaient dans la chaleur. « Rien ne viendra à bout de moi… Le soleil peut bien tuer tous les lézards des collines, je tiendrai. Il y a trop longtemps que j'attends… La terre peut siffler et mes cheveux s'enflammer, je suis en route et j'irai jusqu'au bout. »

Les heures passèrent ainsi, dans une fournaise qui abolissait[3] les cou-
15 leurs. Enfin, au détour d'un virage, la mer fut en vue. « Nous voilà au bout du monde, pensa l'homme. Je rêve depuis quinze ans à cet instant. »

La mer était là. Comme une flaque immobile qui ne servait qu'à réfléchir la puissance du soleil. Le chemin n'avait traversé aucun hameau, croisé aucune autre route, il s'enfonçait toujours plus avant dans les terres.
20 L'apparition de cette mer immobile, brillante de chaleur, imposait la certitude que le chemin ne menait nulle part. Mais l'âne continuait. Il était prêt à s'enfoncer dans les eaux, de ce même pas lent et décidé si son maître le lui demandait. Le cavalier ne bougeait pas. Un vertige l'avait saisi. Il s'était peut-être trompé. À perte de vue, il n'y avait que collines et mer
25 enchevêtrées. « J'ai pris la mauvaise route, pensa-t-il. Je devrais déjà apercevoir le village. À moins qu'il n'ait reculé. Oui. Il a dû sentir ma venue et a reculé jusque dans la mer pour que je ne l'atteigne pas. Je plongerai dans les flots mais je ne céderai pas. Jusqu'au bout. J'avance. Et je veux ma vengeance. »

30   L'âne atteignit le sommet de ce qui semblait être la dernière colline du monde. C'est alors qu'ils virent Montepuccio. L'homme sourit. Le village s'offrait au regard dans sa totalité. Un petit village blanc, de maisons serrées les unes contre les autres, sur un haut promontoire qui dominait le calme profond des eaux. Cette présence humaine, dans un paysage si
35 désertique, dut sembler bien comique à l'âne, mais il ne rit pas et continua sa route.

---

1. Obstination : entêtement.
2. Châtiment antique : référence aux héros de la tragédie grecque.
3. Abolir : effacer.

■ Questions (15 points)

I. « SUR UN CHEMIN DE POUSSIÈRE »   5 POINTS

▶ **1.** Relevez quatre mots ou expressions appartenant au champ lexical de la chaleur. *(1 point)*

▶ **2.** « réfléchir » (lignes 17-18).
Dans la phrase des lignes 17 et 18, remplacez ce verbe par un mot ou une expression synonyme. *(0,5 point)*

▶ **3.** Pour quelles raisons l'auteur insiste-t-il ainsi sur la chaleur (lignes 1 à 15) ? *(0,5 point)*

▶ **4.** « Enfin, au détour d'un virage, la mer fut en vue » (ligne 15).
« C'est alors qu'ils virent Montepuccio (ligne 31).
a) Relevez les deux adverbes.
b) Justifiez le temps des verbes.
c) À partir de vos réponses, indiquez ce qu'expriment ces deux phrases dans la progression générale du récit. *(2 points)*

▶ **5.** « Et son cavalier semblait une ombre condamnée à un châtiment antique » (lignes 4-5).
En vous appuyant sur cette comparaison, dites quel est le destin qui, selon vous, attend le cavalier. *(1 point)*

II. « J'IRAI JUSQU'AU BOUT »   5 POINTS

▶ **6.** « Je plongerai dans les flots mais je ne céderai pas » (lignes 27-28).
a) À quelle phrase de ce même paragraphe cette phrase fait-elle écho ?
b) Qu'en déduisez-vous sur la relation entre l'homme et l'animal ?
(1 point)

▶ **7.** « Ni l'air brûlant qu'il respirait. Ni les rocailles pointues sur lesquelles ses sabots s'abîmaient » (lignes 3-4) et « Jusqu'au bout. J'avance. Et je veux ma vengeance » (lignes 28-29).

a) Observez la construction de ce passage et indiquez les procédés utilisés.

b) Que nous révèlent-ils sur le cheminement de l'homme et de sa monture ? *(1,5 point)*

▶ **8.** « Je devrais déjà apercevoir le village. À moins qu'il n'ait reculé. Oui. Il a dû sentir ma venue et a reculé jusque dans la mer pour que je ne l'atteigne pas » (lignes 25 à 27).

a) Quelle est la figure de style utilisée pour évoquer le village dans ces lignes ?

b) D'après vous, quel sentiment le cavalier prête-t-il au village ? *(1 point)*

▶ **9.** Dans ce même passage, le verbe « reculer » est employé deux fois à deux modes différents. Identifiez-les et expliquez la signification de ce changement de mode. *(1,5 point)*

III. « LA DERNIÈRE COLLINE DU MONDE »   5 POINTS

▶ **10.** « Un petit village blanc, de maisons serrées les unes contre les autres, sur un haut promontoire qui dominait le calme profond des eaux » (lignes 32 à 34).

a) Précisez la nature de « petit », puis celle de « qui dominait le calme profond des eaux ».

b) Dites à quelle forme de discours appartient cette phrase.

c) Quelles impressions donne-t-elle du village et du paysage ? Vous développerez votre réponse en utilisant d'autres éléments du dernier paragraphe. *(2,5 points)*

▶ **11.** « L'homme sourit. Le village s'offrait au regard dans sa totalité » (lignes 31-32).

a) Comment interprétez-vous ce sourire ?

b) Quelle hypothèse ces deux phrases vous permettent-elles de formuler sur la suite du roman ? *(1 point)*

▶ **12.** En vous appuyant sur vos connaissances (récits, théâtre, cinéma…), dites à quel type de personnage ce cavalier peut faire penser. Rédigez votre réponse en la justifiant. *(1,5 point)*

■ Réécriture (4 points)

▶ **1.** « Le cavalier ne bougeait pas. Un vertige l'avait saisi. Il s'était peut-être trompé » (lignes 23-24).

Réécrivez ce passage en remplaçant « le cavalier » par « les cavaliers ». *(2 points)*

▶ **2.** « Rien ne viendra à bout de moi… Le soleil peut bien tuer tous les lézards des collines, je tiendrai » (lignes 10 à 12).

Réécrivez ce passage au discours indirect en commençant par « Le cavalier murmurait que… » *(2 points)*

■ Dictée (6 points)

Laurent Gaudé
Le Soleil des Scorta
Éditions Actes Sud, 2004

Il observait avec minutie chaque coin de rue. Mais il se rassura rapidement. Il avait fait le bon choix. À cette heure de l'après-midi, le village était plongé dans la mort. Les rues étaient désertes. Les volets fermés. Les chiens même s'étaient volatilisés. C'était l'heure de la sieste et la terre aurait pu trembler, personne ne se serait aventuré dehors. Une légende courait dans le village qu'à cette heure, un jour, un homme remonté un peu tard des champs avait traversé la place centrale. Le temps qu'il atteigne l'ombre des maisons, le soleil l'avait rendu fou. Comme si les rayons lui avaient brûlé le crâne. Tout le monde, à Montepuccio, croyait en cette histoire.

Écrire au tableau : Montepuccio.

■ Rédaction (15 points)

Sujet

Derrière leurs volets, une vieille femme et sa jeune voisine voient passer le cavalier. La première le reconnaît et révèle à l'autre le passé de cet homme. Craintive, elle lui explique les raisons qui pourraient motiver son désir de vengeance. En réponse, la jeune voisine tente de montrer que la vengeance est « mauvaise conseillère ».

Consignes

Vous présenterez rapidement la situation ; puis, dans une première partie, la vieille femme prendra la parole et dans une seconde partie, sa voisine essaiera de la convaincre que la vengeance est « mauvaise conseillère ».

Découvrir le sujet

▶ Les questions

Grammaire
- Expansions du nom.
- Nature et fonction.
- Syntaxe.
- Temps et modes verbaux.
- Valeurs des temps verbaux.

Vocabulaire
- Champ lexical.
- Relevés justificatifs.
- Sens de mots ou d'expressions.
- Synonyme.

Écriture
- Figure de style.
- Forme de discours.
- Hypothèses de lecture.

▶ La rédaction

• Lisez le Point clé 3 : « Écrire un dialogue », en particulier ce qui est dit sur le dialogue argumentatif.

Jean Giono
L'homme qui plantait des arbres
Gallimard, 1953

*Le narrateur entreprend une randonnée dans une région isolée et monta-
gneuse de Haute-Provence.*

Je traversais ce pays dans sa plus grande largeur et, après trois jours de
marche, je me trouvais dans une désolation[1] sans exemple. Je campais à
côté d'un squelette de village abandonné. Je n'avais plus d'eau depuis la
veille et il me fallait en trouver. Ces maisons agglomérées, quoique en
5 ruine, comme un vieux nid de guêpes, me firent penser qu'il avait dû y
avoir là, dans le temps, une fontaine ou un puits. Il y avait bien une fontaine, mais sèche. Les cinq à six maisons, sans toiture, rongées de vent et
de pluie, la petite chapelle au clocher écroulé, étaient rangées comme le
sont les maisons et les chapelles dans les villages vivants, mais toute vie
10 avait disparu.

C'était un beau jour de juin avec un grand soleil, mais, sur ces terres
sans abri et hautes dans le ciel, le vent soufflait avec une brutalité insupportable. Ses grondements dans les carcasses des maisons étaient ceux
d'un fauve dérangé dans son repas.

15 Il me fallut lever le camp. À cinq heures de marche de là, je n'avais
toujours pas trouvé d'eau et rien ne pouvait me donner l'espoir d'en trouver. C'était partout la même sécheresse, les mêmes herbes ligneuses[2]. Il
me sembla apercevoir dans le lointain une petite silhouette noire, debout.
Je la pris pour le tronc d'un arbre solitaire. À tout hasard, je me dirigeai
20 vers elle. C'était un berger. Une trentaine de moutons couchés sur la terre
brûlante se reposaient près de lui.

Il me fit boire à sa gourde et, un peu plus tard, il me conduisit à sa
bergerie, dans une ondulation du plateau. Il tirait son eau, excellente,
d'un trou naturel, très profond, au-dessus duquel il avait installé un treuil
25 rudimentaire.

Cet homme parlait peu. C'est le fait des solitaires, mais on le sentait
sûr de lui et confiant dans cette assurance. C'était insolite dans ce pays
dépouillé de tout. Il n'habitait pas une cabane mais une vraie maison en

pierre où l'on voyait très bien comment son travail personnel avait rapiécé
30 la ruine qu'il avait trouvée là, à son arrivée. Son toit était solide et étanche.
Le vent qui le frappait faisait sur les tuiles le bruit de la mer sur les plages.

    Son ménage était en ordre, sa vaisselle lavée, son parquet balayé, son
fusil graissé ; sa soupe bouillait sur le feu. Je remarquai alors qu'il était
aussi rasé de frais, que tous ses boutons étaient solidement cousus, que ses
35 vêtements étaient reprisés avec le soin minutieux qui rend les reprises invi-
sibles.

---

1. Désolation : lieu désert.
2. Herbes ligneuses : herbes à tiges rigides comme du bois.

■ Questions (15 points)

I. LA DÉCOUVERTE D'UN « PAYS »   8 POINTS

▶ **1.** Quel problème le narrateur rencontre-t-il ? Justifiez votre réponse en
citant le texte. *(1 point)*

▶ **2.** Expliquez l'expression « rongées de vent et de pluie » (lignes 7-8).
(1 point)

▶ **3.** Dans la phrase « Les cinq à six maisons, sans toiture, rongées de vent
et de pluie, la petite chapelle au clocher écroulé, étaient <u>rangées</u> comme
le sont les maisons et les chapelles dans les villages vivants, mais toute vie
avait <u>disparu</u> » (lignes 7 à 10), justifiez la terminaison des deux participes
passés soulignés. *(1 point)*

▶ **4.** « toute vie avait disparu » (lignes 9-10) : relevez, dans le premier
paragraphe, quatre mots ou expressions qui illustrent cette idée. *(2 points)*

▶ **5.** Expliquez la phrase « Ses grondements dans les carcasses des maisons
étaient ceux d'un fauve dérangé dans son repas » (lignes 13-14) en relevant les images utilisées. *(1 point)*

▶ **6.** Expliquez la formation de l'adjectif « insupportable » (lignes 12-13).
Expliquez son sens dans la phrase. *(2 points)*

II. UNE RENCONTRE INATTENDUE   7 POINTS

▶ **7.** Qui est désigné par le pronom « lui » à la ligne 21 ? *(1 point)*

▶ **8.** Pourquoi cette rencontre est-elle importante pour le narrateur ?
(1 point)

▶ **9.** Dans les lignes 22 à 25, identifiez les trois temps verbaux. Justifiez leur emploi. *(3 points)*

▶ **10.** Quels sont les principaux traits de caractère du berger (lignes 26 à 36) ? *(2 points)*

■ Réécriture (3 points)

Réécrivez ce passage en remplaçant le premier mot, « Il », par « Ils ». « Il me fit boire à sa gourde et, un peu plus tard, il me conduisit à sa bergerie, dans une ondulation du plateau. Il tirait son eau, excellente, d'un trou naturel, très profond, au-dessus duquel il avait installé un treuil rudimentaire » (lignes 22 à 25). Faites toutes les modifications qui s'imposent.

■ Dictée (7 points)

Marcel Aymé
La Vouivre
Gallimard, 1943

Vers huit heures du matin, Arsène aiguisait sa faux lorsqu'il aperçut à quelques pas de lui une vipère glissant sur l'herbe rase. Son cœur se serra d'une légère angoisse, comme il lui arrivait parfois dans les bois, lorsqu'il entendait un bruit dans les branches profondes d'un buisson. À l'âge de cinq ans, un jour qu'il cueillait du muguet, il avait mis la main sur un serpent et l'aventure lui avait laissé l'horreur des reptiles.

Écrire au tableau : Arsène, faux.

■ Rédactions au choix (15 points)

Sujet 1 (sujet d'imagination)
Imaginez la suite de ce texte. Le narrateur passe la soirée chez le berger et ce dernier lui raconte l'histoire du village.
Votre texte comportera une vingtaine de lignes.

Sujet 2 (sujet de réflexion)

Certaines personnes quittent les villes pour s'installer à la campagne. Que préférez-vous ? Vivre dans un petit village ou dans une grande ville ? Vous rédigerez un texte d'une vingtaine de lignes.

Découvrir le sujet

▶ Les questions

Grammaire
– Accords.
– Modes et temps verbaux.
– Référent d'un pronom.
– Valeurs des temps verbaux.

Vocabulaire
– Formation de mots.
– Relevés justificatifs.
– Sens de mots ou d'expressions.

Écriture
– Figure de style.
– Hypothèses de lecture.

▶ Les rédactions

Sujet 1
• Lisez le Point clé 2 : « Écrire la suite d'un texte ».
• Dans le premier paragraphe du texte, quelques détails vous indiquent que ce village a été prospère autrefois.

Sujet 2
• Lisez le Point clé 6 : « Écrire un passage argumentatif ».

Gudule
La Bibliothécaire
Éditions Hachette, 1995

« Guillaume ! »

Pas de réponse. Affalé sur sa table, la tête posée sur ses bras repliés, Guillaume dort comme un bébé.

« Guillaume ! Je te signale que tu ronfles ! »

5   Toute la classe éclate de rire, ce qui tire le ronfleur en question de sa somnolence. Il sursaute, ouvre les yeux, se redresse, regarde autour de lui d'un air stupide. Et se retrouve nez à nez avec M. Pennac, son prof de français.

« Je vois avec plaisir que tu reviens parmi nous », commente ce dernier, le sourire moqueur.

10   Puis s'adressant aux autres :

« Si nous demandions à ce jeune homme, qui s'est sûrement couché trop tard hier, de nous raconter les rêves qu'il vient de faire ? Je suis sûr que c'est très intéressant ! »

Brouhaha approbateur. Les élèves de cinquième apprécient, de toute 15 évidence, l'humour narquois[1] de leur professeur.

« Mais... monsieur..., bredouille l'intéressé.

– Il n'y a pas de "mais" ! Monte sur l'estrade et vas-y, nous t'écoutons. »

En somnambule, Guillaume obéit. Ses idées ne sont pas très nettes. Des points lumineux – résidus des images imprimées par le sommeil sur 20 sa rétine – brouillent encore sa vue, et il a la bouche pâteuse.

« Ça comptera pour tes points d'expression orale ! précise M. Pennac.

– Moi, ma grand-mère, elle a le don d'expliquer les rêves ! glisse Naïma à Laurence, sa voisine. Et même, elle peut prédire l'avenir !

– J'y crois pas, c'est de la blague ! » répond Laurence, péremptoire[2].

25   Naïma hausse les épaules et se renfrogne[3].

Debout devant le tableau, Guillaume tangue[4] d'un pied sur l'autre. Il est vraiment très mal à l'aise. Tous ces visages levés vers lui, à l'affût de ses paroles, lui donnent le vertige. Oh, le face-à-face angoissant du conférencier avec son auditoire ; l'instant suprême où l'acteur, grelottant de trac, 30 s'apprête à lancer sa première réplique !

« Faut que je me décide ! », pense Guillaume, l'estomac noué.

Doudou, son meilleur copain, lui fait des signes d'encouragements à la mode « rappeur ». Gestes saccadés, mimiques-chocs, il ne s'exprime quasiment qu'en dansant. Même les mots tressautent sur ses lèvres à un
35 rythme syncopé : « Fonce-mooon-frère ! » fredonne-t-il.

M. Pennac, installé au dernier rang, à côté de Cédric-le-cancre, a sorti son cahier de notes.

« Eh bien, Guillaume ? Tu as perdu ta langue ?

– Peau de vache ! » ronchonne Guillaume en son for intérieur[5]. Et,
40 rassemblant toute son énergie, il se jette à l'eau.

« Il est minuit, je n'ai pas sommeil » dit-il.

– Bravo, bon début ! » applaudit Doudou.

D'un froncement de sourcils, le prof lui impose silence.

« Par la fenêtre de ma chambre, je regarde la rue. Il pleut. La lune est
45 cachée par de gros nuages… »

---

1. Narquois : malicieux et moqueur.
2. Péremptoire : auquel on ne peut pas répliquer.
3. Se renfrogner : montrer sa mauvaise humeur.
4. Tanguer : faire un léger mouvement d'un pied sur l'autre.
5. En son for intérieur : au plus profond de lui-même.

■ Questions (15 points)

▶ **1. a)** Qui est le personnage principal de ce début de roman ? *(1 point)*
b) Dans quel lieu se situe la scène ? *(1 point)*

▶ **2.** Dans quelle situation M. Pennac surprend-il Guillaume ? *(1 point)*
Relevez au moins quatre mots ou expressions justifiant votre réponse.
(2 points)

▶ **3.** Expliquez pourquoi Guillaume a un « air stupide » (lignes 6-7) ?
(1 point)

▶ **4.** Relisez le passage « Tous ces visages levés […] sa première réplique ! »
(lignes 27 à 30).
Pourquoi Guillaume est-il comparé à un conférencier et à un acteur ?
(1 point)

▶ **5.** Expliquez le sens, dans le texte, de l'expression « il se jette à l'eau »
(ligne 40). *(2 points)*

▶ **6. a)** À partir de quel mot simple (ou radical) est formé le mot « encouragements » (ligne 32) ? *(1 point)*

b) Donnez un adjectif et un verbe de la même famille. *(2 points)*

▶ **7.** Relevez deux verbes à l'impératif présent dans le passage « Brouhaha approbateur […] bouche pâteuse » (lignes 14 à 20). *(1 point)*

Justifiez l'emploi de ce mode. *(2 points)*

■ Réécriture (5 points)

« Toute la classe éclate de rire […] son prof de français » (lignes 5 à 7). Réécrivez ce passage en remplaçant le terme « le ronfleur » par son pluriel « les ronfleurs ». Faites toutes les transformations qui s'imposent.

■ Dictée (5 points)

Victor Hugo
Le Dernier Jour d'un condamné
1829

L'hôtel de ville est un édifice sinistre. Avec son toit aigu et raide, son clocheton bizarre, son grand cadran blanc, ses étages à petites colonnes, ses mille croisées, ses escaliers usés par les pas, ses deux arches à droite et à gauche, il est là, sombre, lugubre, la face rongée de vieillesse.

■ Rédactions au choix (15 points)

Sujet 1 (sujet d'imagination)

Guillaume commence le récit de son rêve à la fin du texte.

Imaginez ce rêve qui commencera par : « Il est minuit. Par la fenêtre de ma chambre, je regarde la rue. »

Sujet 2 (sujet de réflexion)

Comme Guillaume, beaucoup d'élèves s'ennuient dans leur établissement. Vous rédigez une lettre adressée à votre principal ou proviseur pour lui proposer des idées pour lutter contre l'ennui dans votre établissement. Vous les expliquez et les justifiez.

Consignes

Pour la rédaction du sujet 1 :

Vous rédigez votre texte à la première personne, au présent de l'indicatif.
Vous organisez votre texte en paragraphes.
Vous respectez les règles d'orthographe et de grammaire.
Vous mettez la ponctuation.
Vous vérifiez que vos phrases sont correctes.
Vous évitez les répétitions en utilisant un vocabulaire varié.
Vous soignez la présentation et l'écriture.
Vous rédigez un texte d'au moins 20 lignes.

Pour la rédaction du sujet 2 :

Vous présentez votre texte comme une lettre.
Vous vous adressez à votre principal ou votre proviseur.
Vous expliquez et vous justifiez vos idées et vos propositions.
Vous respectez les règles d'orthographe et de grammaire.
Vous vérifiez que vos phrases sont correctes.
Vous veillez à bien ponctuer votre texte.
Vous soignez la présentation et l'écriture.
Vous rédigez un texte d'au moins 20 lignes.
Pour respecter l'anonymat de l'examen, vous ne signez pas votre lettre.

Découvrir le sujet

▶ Les questions

Grammaire
– Valeurs des temps verbaux.

Vocabulaire
– Famille de mots.
– Formation de mots.
– Relevés justificatifs.
– Sens de mots ou d'expressions.

Écriture
– Hypothèses de lecture.
– Indices de lieu.

▶ Les rédactions

Sujet 1

• Lisez le Point clé 1.

• Organisez votre récit en paragraphes qui correspondront aux différentes parties de votre rêve.

Sujet 2

• Lisez les Points clés 5 et 6.

• Vous vous adressez au principal ou au proviseur de votre établissement. Choisissez le niveau de langue qui convient.

Dominique Lapierre

La Cité de la joie
Robert Laffont, 1969

Marier sa fille : il n'y a pas de plus grande obsession[1] pour un père indien. Amrita, la fille du tireur de rickshaw[2], n'avait pourtant que seize ans. Si les cruelles années sur les trottoirs et dans les bidonvilles n'avaient pas altéré[3] sa fraîcheur, le sérieux de son regard disait qu'elle n'était plus une enfant depuis
5 longtemps. Le rôle de fille est ingrat dans la société indienne. Aucune charge domestique, aucune corvée ne lui est épargnée. Debout avant les autres, couchée la dernière, elle mène une vie d'esclave. Maman avant d'être mère, Amrita avait élevé ses frères. Elle avait guidé leurs premiers pas, cherché leur nourriture dans les ordures des hôtels, cousu les guenilles qui leur servaient
10 de vêtements, massé leurs membres décharnés, organisé leurs jeux, épouillé[4] leurs têtes. Dès son plus jeune âge, sa mère l'avait inlassablement préparée au seul grand événement de son existence, celui qui, durant toute une journée, ferait de cet enfant de misère le point de mire[5] et l'objet de toutes les conversations du petit monde des pauvres qui l'entourait : son mariage.
15 Toute son éducation tendait vers ce but. Les campements sur les trottoirs, la cahute[6] de planches et de cartons de leur premier bidonville avaient été pour elle autant de centres d'apprentissage où il lui avait été enseigné tout ce que doit savoir une mère de famille modèle et une bonne épouse.

Comme tous les parents indiens, les Pal étaient conscients qu'ils
20 seraient un jour jugés sur la façon dont leur fille se comporterait dans la maison de son mari. Et comme sa conduite ne devait être que soumission, Amrita avait été entraînée dès son plus jeune âge à renoncer à ses goûts et à ses jeux pour servir ses parents et ses frères, ce qu'elle avait toujours fait avec le sourire. Depuis sa toute petite enfance, elle avait accepté la
25 conception[7] indienne du mariage. Hasari dira un jour à Lambert : « Ma fille n'est pas à moi. Elle m'a seulement été prêtée par Dieu jusqu'à son mariage. Elle appartient au garçon qui sera son mari. »

---

1. Obsession : idée fixe. 2. Rickshaw : voiture légère tirée par une bicyclette ou un scooter destinée au transport de personnes (Asie du Sud-Est et Chine). 3. Altéré : modifié en mal, terni. 4. Épouillé : ôté leurs poux. 5. Point de mire : l'objet de tous les regards. 6. Cahute : petite cabane. 7. Conception : façon de voir.

■ Questions (15 points)

I. SOUMISSION   12 POINTS

▶ **1.** Donnez le sens des quatre mots ou expressions suivants dans le texte :
« bidonvilles » (ligne 3), « ingrat » (ligne 5), « guenilles » (ligne 9),
« membres décharnés » (ligne 10). *(4 points)*

▶ **2.** Relevez dans le texte quatre mots ou expressions qui renvoient au
champ lexical de l'esclavage. *(2 points)*

▶ **3.** Relevez quatre expressions qui montrent dans quelle pauvreté vit
Amrita. *(4 points)*

▶ **4.** Donnez un titre à cet extrait. *(2 points)*

II. LA FEMME INDIENNE   3 POINTS

▶ **5.** Quel est le seul grand événement dans la vie d'une jeune Indienne ?
(1 point)

▶ **6.** « Toute son éducation tendait vers ce but » (ligne 15). Quelle éducation a donc reçue Amrita ? *(2 points)*

■ Réécriture (5 points)

Réécrivez le texte depuis « Ma fille… » (lignes 25-26), jusqu'à « … son
mari » (ligne 27), en faisant parler Amrita à la place de son père. Vous
emploierez la première personne du singulier « je ».
Vous ferez toutes les modifications qui s'imposent.

■ Dictée (5 points)

Joseph Zobel
Quand la neige aura fondu
Éditions Caribéennes, 1979

Joseph se réveilla seul dans le lit.

Il ne peut se rendre compte si c'est l'aube ou si c'est déjà le jour. Une
lueur grise reste collée à l'étroite fenêtre sans rideau, derrière une petite table

de toilette, et traverse à peine les carreaux, tant elle est affaiblie par le brouillard. Il fait froid, si froid que Joseph sent la moelle de ses os se glacer.

Écrire au tableau : Joseph.

■ Rédactions au choix (15 points)

Sujet 1 (sujet d'imagination)
Amrita voit passer des écoliers, leurs livres sous le bras et se prend à rêver. Imaginez en une vingtaine de lignes les rêves et les sentiments qui déferlent dans sa tête.

Sujet 2 (sujet de réflexion)
Quelle place accordez-vous à la femme dans notre société ?
Vous exposerez votre réflexion dans un texte organisé d'une vingtaine de lignes, illustré d'exemples et d'arguments précis.

Découvrir le sujet

▶ Les questions
Vocabulaire
– Champ lexical.
– Relevés justificatifs.
– Sens de mots et d'expressions.

Écriture
– Hypothèses de lecture.

▶ Les rédactions
Sujet 1
• Commencez par évoquer ce que voit Amrita puis imaginez ses rêves.

Sujet 2
• Lisez le Point clé 6 : « Écrire un passage argumentatif ».

J.-M. G. Le Clézio

La Grande Vie
Gallimard, 1982

Deux sœurs jumelles travaillent dans un atelier de couture.

[…] C'est comme cela que, le jour de leurs dix-neuf ans, elles étaient encore dans l'atelier Ohio Made in USA, à coudre des poches et à faire des boutonnières pour le compte de Jacques Rossi, le patron. Quand elles étaient entrées là-dedans, Pouce avait promis à maman Janine d'être rai-
5 sonnable et de se comporter en honnête ouvrière, et Poussy avait fait la même promesse. Mais quelques jours plus tard, l'atmosphère de bagne de l'atelier avait eu raison de leurs résolutions. Entre elles et Rossi, c'était la guerre. Les autres filles ne parlaient pas et s'en allaient très vite dès que le travail était fini, parce qu'elles avaient un fiancé qui venait les chercher en
10 voiture pour les amener danser. Pouce et Poussy, elles, n'avaient pas de fiancé. Elles n'aimaient pas trop se séparer, et quand elles sortaient avec des types, elles s'arrangeaient pour se retrouver et passer la soirée ensemble. Il n'y avait pas de garçon qui résiste à cela. Pouce et Poussy s'en fichaient. Elles allaient ensemble au Café-Bar-Tabac du coin de la rue, à
15 côté de l'atelier, et elles buvaient de la bière en fumant des cigarettes brunes et en se racontant des tas d'histoires entrecoupées de leur rire en cascade.

Elles racontaient toujours la même histoire, une histoire sans fin qui les entraînait loin de l'atelier, avec ses barres de néon, son toit de tôle
20 ondulée, ses fenêtres grillagées, le bruit assourdissant de toutes les machines en train de coudre inlassablement les mêmes poches, les mêmes boutonnières, les mêmes étiquettes Ohio Made in USA. Elles s'en allaient déjà, elles partaient pour la grande aventure, à travers le monde, dans les pays qu'on voit au cinéma : l'Inde, Bali, la Californie, les îles Fidji, l'Ama-
25 zonie, Casablanca. Ou bien dans les grandes villes où il y a des monuments magiques, des hôtels fabuleux avec des jardins sur le toit, des jets d'eau, et même des piscines avec des vagues, comme sur la mer : New York, Rome, Munich, Mexico, Marrakech, Rio de Janeiro. C'était Pouce qui racontait le mieux l'histoire sans fin, parce qu'elle avait lu tout cela

139

30 dans des livres et dans des journaux. Elle savait tout sur ces villes, sur ces pays : la température en hiver et en été, la saison des pluies, les spécialités de la cuisine, les curiosités, les mœurs des habitants. Ce qu'elle ne savait pas, elle l'inventait, et c'était encore plus extraordinaire. [...]

C'est comme cela qu'elles ont commencé à parler de la grande vie. Au 35 début, elles en ont parlé sans y prendre garde, comme elles avaient parlé des autres voyages qu'elles feraient, en Équateur, ou bien sur le Nil. C'était un jeu, simplement, pour rêver, pour oublier le bagne de l'atelier et toutes les histoires avec les autres filles et avec le patron Rossi. Et puis, peu à peu, ça a pris corps, et elles ont commencé à parler pour de vrai, 40 comme si c'était quelque chose de sûr. Il fallait qu'elles partent, elles n'en pouvaient plus. Pouce et Poussy ne pensaient plus à rien d'autre. Si elles attendaient, elles deviendraient comme les autres, vieilles et tout aigries, et de toute façon, elles n'auraient jamais d'argent. Et puis, à supposer que le patron Rossi ne les mette pas à la porte, elles savaient bien qu'elles ne 45 tiendraient plus très longtemps maintenant.

Alors, un jour, elles sont parties.

■ Questions (15 points)

I. L'ATELIER   7,5 POINTS

▶ **1.** Quel travail les deux sœurs font-elles dans l'atelier ? *(1 point)*

▶ **2.** Relevez, dans le deuxième paragraphe, le passage qui exprime la monotonie de ce travail. *(2 points)*

▶ **3.** Relisez le premier paragraphe. Comment s'entendent-elles avec leur patron, monsieur Rossi ?
Justifiez votre réponse en citant l'expression du texte qui qualifie cette relation. *(2 points)*

▶ **4.** Relisez le premier paragraphe jusqu'à « l'atmosphère de bagne de l'atelier avait eu raison de leurs résolutions » (lignes 6-7).
De quelles résolutions s'agit-il ? *(1 point)*

▶ **5.** « ...en train de coudre inlassablement les mêmes poches » (ligne 21).
Décomposez le mot « inlassablement » en distinguant le préfixe, le radical et le suffixe. *(1,5 point)*

II. LE RÊVE D'ÉVASION   5,5 POINTS

▶ **6.** « Elles racontaient toujours la même histoire… » (ligne 18). De quelle histoire s'agit-il ? *(1 point)*

▶ **7.** Dans le deuxième paragraphe, relevez quatre expressions qui évoquent le rêve d'évasion des deux sœurs. *(2 points)*

▶ **8.** Relevez dans le troisième paragraphe au moins deux raisons qui incitent les filles à rêver de partir. *(1 point)*

▶ **9.** En attendant de pouvoir partir, quels moyens utilisent-elles pour s'imaginer qu'elles voyagent ? Relisez le texte en entier pour répondre à la question. *(1,5 point)*

III. LA DÉCISION   2 POINTS

▶ **10.** Quelles sont les raisons qui les décident enfin à partir ? *(2 points)*

■ Réécriture (5 points)

« Les autres filles ne parlaient pas et s'en allaient très vite […], parce qu'elles avaient un fiancé qui venait les chercher en voiture pour les amener danser. Pouce et Poussy, elles, n'avaient pas de fiancé. Elles n'aimaient pas trop se séparer, et quand elles sortaient avec des types, elles s'arrangeaient pour se retrouver et passer la soirée ensemble » (lignes 8 à 13). Réécrivez ce texte au présent de l'indicatif.

■ Dictée (5 points)

Tahar Ben Jelloun
Les Yeux baissés
Éditions du Seuil, 1991

Madame Simone était contente. Je faisais des progrès. Au milieu de l'année, je passai dans la classe au-dessus où on faisait des phrases. Je changeai de cartable. Mes phrases étaient folles. Je commençai par recopier celles du tableau, puis j'y ajoutai les mots qui me passaient par la tête, ou d'autres, dont la sonorité me plaisait. J'avais toujours l'impression d'être en même temps en retard et en avance.

_____

Écrire au tableau : Madame Simone.

■ Rédactions au choix (15 points)

Sujet 1 (sujet d'imagination)
Vous imaginez la suite des aventures des deux jumelles.
Votre texte comportera une vingtaine de lignes au minimum.

Sujet 2 (sujet de réflexion)
Pouce et Poussy n'aiment pas leur travail.
Et vous, pensez-vous qu'on puisse éprouver des satisfactions à exercer un métier ?
Rédigez un texte organisé d'une vingtaine de lignes au minimum, en appuyant vos arguments sur des exemples précis.

Découvrir le sujet

▶ Les questions
Vocabulaire
– Champ lexical.
– Formation de mots.
– Relevés justificatifs.

Écriture
– Hypothèses de lecture.

▶ Les rédactions
Sujet 1
• Lisez le Point clé 2 pour écrire la suite du texte.
• Vous ne devez pas changer le caractère des deux sœurs jumelles.

Sujet 2
• Lisez le Point clé 6.
• Faites deux ou trois paragraphes dans lesquels vous développerez un argument et un exemple.

J.-M. G. Le Clézio

Ourania
Gallimard, 2006

Le narrateur, Daniel, évoque son enfance pendant la Seconde Guerre mondiale.
Il s'attarde ici sur la toile cirée qui recouvrait la table de la cuisine familiale.

Pour moi, cette toile cirée[1] était le décor principal de ma vie. C'était
une toile des plus ordinaires, assez épaisse, d'un brillant un peu huileux
et dégageant une odeur de soufre et de caoutchouc, mêlée aux parfums de
la cuisine.

5 J'y mangeais, j'y dessinais, j'y rêvais, j'y dormais parfois. Elle avait
pour décor des motifs dont je ne sais s'ils représentaient des fleurs, des
nuages ou des feuilles, peut-être tout cela à la fois. Ma grand-mère y pré-
parait avec ma mère les repas, hachant les légumes et les bouts de viande,
épluchant carottes et patates, navets, topinambours. [...] L'après-midi,
10 quand ses beaux-parents faisaient la sieste, ma mère Rosalba me faisait la
leçon. Le livre ouvert, elle me lisait les histoires. Puis elle m'emmenait
promener jusqu'au pont, pour regarder la rivière. La nuit venait vite en
hiver. Malgré bonnets de laine et peaux de mouton, nous grelottions. Ma
mère restait un instant tournée vers le sud, comme si elle attendait
15 quelqu'un. Je la tirais par la main, pour retourner vers la maison. Nous
croisions parfois des enfants du village, des femmes vêtues de noir.
Peut-être que ma mère échangeait quelques mots. Pour gagner un peu
d'argent, elle faisait de la couture le soir, sur la fameuse toile cirée.

Je crois que c'est sur cette nappe que j'ai pensé la première fois à un
20 pays imaginaire. Il y avait ce gros livre rouge que ma mère lisait, et qui
parlait de la Grèce, de ses îles. Je ne savais pas ce que c'était que la Grèce.
C'étaient des mots. Dehors, dans le couloir froid de la vallée, sur la place
de l'église, dans les magasins où j'accompagnais ma mère et ma
grand-mère quand elles allaient acheter du lait ou des pommes de terre,
25 il n'y avait pas de mots. Seulement le son des cloches, le bruit des
galoches[2] sur le pavé, des cris.

Mais du livre rouge sortaient des mots, des noms. Chaos, Éros, Gaia et
ses enfants, Pontos, Océanos et Ouranos[3], le ciel étoilé. Je les écoutais sans

comprendre. Il était question de la mer, du ciel, des étoiles. Est-ce que je
30 savais ce que c'était ? Je ne les avais jamais vus. Je ne connaissais que les dessins de la toile cirée, l'odeur de soufre, et la voix chantante de ma mère qui
lisait. C'est dans le livre que j'ai trouvé le nom du pays d'Ourania. C'est
peut-être ma mère qui a inventé ce nom, pour partager mon rêve.

---

1. Toile cirée : nappe imperméable.
2. Galoche : chaussure à semelle de bois.
3. Chaos […] Ouranos : divinités grecques à l'origine du monde.

■ Questions (15 points)

I. UN VILLAGE   5 POINTS

▶ **1.** Relevez quatre mots ou expressions qui appartiennent au champ lexical du froid. *(1 point)*

▶ **2.** Dans les deuxième et troisième paragraphes (lignes 5 à 26), quels rapports le narrateur et sa mère entretiennent-ils avec les autres villageois ?
(1 point)

▶ **3.** Dans ces mêmes paragraphes, quel est le temps dominant employé ?
Donnez sa valeur. *(1 point)*   *imphf temps récit*

▶ **4.** « <u>Seulement</u> le son des cloches, le bruit des galoches sur le pavé, des
cris » (lignes 25-26).
Quelle est la nature du mot souligné ?   *adv ment*
Pourquoi est-il placé en début de phrase ? *(1 point)*   *relié phrase ant*

▶ **5.** En vous appuyant sur vos réponses aux questions précédentes, trouvez dans le texte ou par vous-même un adjectif qui pourrait caractériser
l'atmosphère du village. Justifiez votre choix. *(1 point)*   *antipathique*

II. LA FAMEUSE TOILE CIRÉE   5 POINTS

▶ **6.** « Je la tirais par la main, pour retourner vers la maison » (ligne 15).
Indiquez au moins deux raisons qui expliquent le geste de l'enfant.
(1 point)   *fait froid et nou*

▶ **7.** « C'était une toile des plus ordinaires, assez épaisse, d'un brillant un
peu <u>huileux</u> et dégageant une odeur de <u>soufre</u> et de caoutchouc » (lignes 1
à 3).
a) Donnez la fonction de chacun des éléments soulignés.   *adj qual*
b) Quelle impression ces éléments produisent-ils ?   *vieux*
c) À quelle forme de discours appartiennent ces lignes ? *(2 points)*   *discours libre*

▶ **8.** « J'y mangeais, j'y dessinais, j'y rêvais, j'y dormais parfois » (ligne 5).
Que remplace le pronom « y » ? Pourquoi est-il répété ? *(1 point)*
tableau metaphore que je repete

▶ **9.** Le regard porté sur cette toile cirée est-il celui de l'enfant ou du narrateur adulte ? Justifiez votre réponse. *(1 point)*

III. LE LIVRE OUVERT   5 POINTS

▶ **10.** « Je crois que c'est sur cette nappe que j'ai pensé la première fois à un pays imaginaire. Il y avait ce gros livre rouge que ma mère lisait… » (lignes 19-20).

a) « Je crois » : de quel emploi du présent s'agit-il ?

b) Reliez ces deux phrases au moyen d'un subordonnant. *où*

c) Comment la mère a-t-elle participé à l'éveil de l'enfant ? *(1,5 point)* *grâ*

▶ **11.** « Je ne connaissais que les dessins de la toile cirée » (lignes 30-31). *aux rêves*
« Mais du livre rouge sortaient des mots, des noms » (ligne 25).
Quelle opposition est marquée par l'emploi d'articles définis dans la première des phrases données et d'articles indéfinis dans la deuxième ? *(1 point)*

▶ **12.** « Je les écoutais sans comprendre » (lignes 28-29).
Pourquoi l'enfant continue-t-il malgré tout à écouter ? *(1 point)*

▶ **13. a)** D'après les indications données dans les deux derniers paragraphes, quel est le sujet abordé dans le « gros livre rouge » ?
b) Qu'évoque pour vous le nom « Ourania » ? Développez votre propre interprétation. *(1,5 point)*

■ Réécriture (4 points)

« Le livre ouvert, elle me lisait les histoires. Puis elle m'emmenait promener jusqu'au pont, pour regarder la rivière. La nuit venait […]. Malgré bonnets de laine et peaux de mouton, nous grelottions. Ma mère restait un instant tournée vers le sud, comme si elle attendait quelqu'un. Je la tirais par la main, pour retourner vers la maison » (lignes 11 à 15) ».
Réécrivez ce passage en conjuguant les verbes au plus-que-parfait de l'indicatif.

■ Dictée (6 points)

J.-M. G. Le Clézio
Ourania
Gallimard, 2006

La pièce à vivre, c'était la cuisine. Les chambres étaient sombres et humides. Leurs fenêtres regardaient un pan rocheux moussu, où l'eau semblait cascader en permanence. La cuisine était du côté de la rue, éclairée par deux fenêtres sur lesquelles ma grand-mère fixait chaque soir du papier bleu pour le couvre-feu. C'est là que nous passions la plus grande partie de la journée. Même en hiver, il y avait du soleil. Nous n'avions pas besoin de rideaux, parce qu'il n'y avait pas de vis-à-vis. La rue, à cet endroit, c'était la route qui allait vers les montagnes. Il n'y passait pas grand-chose. [...] En me penchant, je pouvais apercevoir, par-dessus les champs d'herbes folles, les toits du village et la tour carrée de l'église, avec sa pendule au cadran en chiffres romains. Je ne suis jamais arrivé à lire l'heure, mais il me semble qu'elle devait marquer toujours midi.

■ Rédaction (15 points)

Sujet

Grâce au « livre rouge », le narrateur échappe à son univers quotidien. Il vous est arrivé à vous aussi de rêver à partir de mots inconnus. Vous racontez cette expérience à un ami, puis vous lui expliquez l'importance de la lecture en insistant sur ses diverses fonctions.

Consignes

Votre devoir comportera deux parties : d'abord le récit de votre expérience, puis l'expression de votre opinion sur la lecture et ses fonctions.
Vous donnerez des exemples précis tirés de votre culture personnelle.

Découvrir le sujet

▶ Les questions

Grammaire

– Déterminants.

– Nature et fonction.

– Référent d'un pronom.

– Temps et modes verbaux.

– Transformation en proposition subordonnée.

– Valeurs des temps verbaux.

Vocabulaire

– Champ lexical.

– Relevés justificatifs.

– Sens de mots ou d'expressions.

Écriture

– Forme de discours.

– Hypothèses de lecture.

▶ La rédaction

• Lisez le Point clé 3 : « Écrire un dialogue ».

• Pensez aux livres que vous avez lus pour trouver des exemples.

Thierry Lenain
Un pacte avec le Diable
Syros, 1996

Ce texte est la première page du livre.

Avant, je ne lisais que des livres pour enfants. À cause de mon âge.
Maintenant j'ai douze ans, alors je lis aussi ceux de mon père. Enfin, pas
tous… : il en achète des pas drôles du tout. Il y a aussi ceux qui sont rangés
sur la dernière étagère, tout en haut. Je n'ai pas le droit d'y toucher… Ce
5 sont des livres pour adultes, il paraît. Parce que moi je ne suis plus une
petite fille, mais je ne suis pas encore une grande personne. Je suis entre
les deux.

En tout cas, les livres pour enfants, je ne les aime plus tellement. Ils
nous prennent souvent pour des bébés. Et puis, ce n'est pas comme dans
10 la vie : ça se termine toujours bien. Comme les films d'amour à la télé :
ils finissent toujours par s'embrasser. Et pourtant dans la vraie vie, celle
qui n'est pas du cinéma, ce n'est pas du tout pareil. Mes parents, par
exemple. Au début, ils vivaient ensemble, et même avec moi en plus.
Après, ils ont divorcé. On m'a collée avec ma mère. J'aurais préféré mon
15 père. Personne ne m'a demandé mon avis. Bon, ce n'était pas trop grave,
parce que je l'aime quand même, ma maman. Mais ça ne s'est pas arrêté
là : elle s'est remariée avec un type que je ne connaissais même pas. Pour
elle c'était une belle histoire d'amour. Pas pour moi. Je ne pouvais pas le
supporter, l'autre, mon « beau-père », comme il voulait que je l'appelle.
20 Il pouvait toujours courir. D'abord, il était moche, et en plus, ce n'était
pas mon père. Alors je l'appelais Lépapère. Et c'était l'horreur d'habiter
dans la même maison que lui, vraiment pas un conte pour enfants.

Mais les soirs où j'étais très malheureuse, je me disais que tout ça,
c'était parce que je me trouvais dans un mauvais chapitre, que dans le
25 dernier tout changeait ! Courage, plus que quelques pages et Zorro allait
arriver…

■ Questions (15 points)

I. LA NARRATRICE ET SON RÉCIT 6,5 POINTS

▶ **1.** Relevez dans le deuxième paragraphe l'indice grammatical qui confirme que c'est bien une fille qui parle. *(0,5 point)*

▶ **2.** « …je ne suis plus une petite fille, mais je ne suis pas encore une grande personne. Je suis entre les deux » (lignes 5 à 7). Donnez un nom qui définit plus précisément cet âge de la vie. *(0,5 point)*

▶ **3. a)** Quel registre de langue la narratrice utilise-t-elle ? *(0,5 point)*
b) Relevez dans le texte deux mots et deux tournures de phrases qui illustrent ce registre de langue. *(1 point)*
c) Justifiez le choix de ce registre. *(1 point)*

▶ **4.** Relevez dans le texte un présent d'énonciation et un présent de vérité générale. *(1 point)*

▶ **5.** Relevez, dans le deuxième paragraphe, un exemple de chacun des temps de l'indicatif utilisés pour évoquer le passé. Vous préciserez de quel temps il s'agit. *(1 point)*

▶ **6.** À partir des indications qui vous sont fournies autour du texte et de l'observation du texte lui-même, dites s'il s'agit d'un récit autobiographique ou d'un roman. *(1 point)*

II. LA VIE RÉELLE 4,5 POINTS

▶ **7.** Quelle est précisément la situation familiale de la narratrice à l'âge de douze ans ? *(1 point)*

▶ **8.** Quel jugement porte-t-elle sur chacun des adultes évoqués dans le texte ? *(1,5 point)*

▶ **9.** Quel surnom a-t-elle donné à son beau-père ? Expliquez ce que signifie, à votre avis, ce surnom. *(1 point)*

▶ **10.** Dans le deuxième paragraphe, à quoi la narratrice compare-t-elle « les livres pour enfants » ? Que leur reproche-t-elle ? *(1 point)*

III. LA VIE RÊVÉE 4 POINTS

▶ **11.** Quelle est l'activité de loisirs favorite de cette jeune fille ? *(0,5 point)*

▶ **12.** Relevez quatre mots appartenant au champ lexical de cette activité de loisirs. *(1 point)*

▶ **13.** Relevez, dans le dernier paragraphe, une forme verbale exprimant un futur proche dans le passé. *(0,5 point)*

▶ **14.** Cette jeune fille souffre-t-elle de l'existence qui lui est faite ? Où puise-t-elle, selon vous, l'espoir de voir sa vie s'améliorer ? Vous justifierez votre point de vue en vous appuyant sur le texte. *(2 points)*

■ Réécriture (4 points)

« Au début, ils vivaient ensemble, et même avec moi en plus. Après, ils ont divorcé. On m'a collée avec ma mère. J'aurais préféré mon père. Personne ne m'a demandé mon avis » (lignes 13 à 15).
Réécrivez ce passage en remplaçant la première personne du singulier par la troisième personne du féminin singulier et en effectuant les modifications qui s'imposent.

■ Dictée (6 points)

D'après François Mauriac
Le Jeune Homme
Hachette, 1925

L'enfant vivait au pays des merveilles, à l'ombre des parents, demi-dieux pleins de perfection. Mais voici l'adolescence. Non plus hors de lui, mais en lui, l'adolescent découvre l'infini : il avait été un petit enfant dans le monde immense ; il admire, dans son univers rétréci, son âme démesurée. Il porte en lui le feu, un feu qu'il nourrit de mille lectures et que tout excite. Il sent en lui sa jeunesse comme un mal, ce mal du siècle qui est, au vrai, le mal de tous les siècles depuis qu'il existe des jeunes hommes et qu'ils souffrent. Non, ce n'est pas un âge « charmant ».

■ Rédaction (15 points)

Sujet

Et puis, un jour, Zorro est arrivé… Imaginez la rencontre entre la jeune narratrice et son « sauveur ». Quelles perspectives de changement lui offrira-t-il ? Votre récit se présentera comme la suite du texte de Thierry Lenain. Vous vous efforcerez de réutiliser ce que vous savez de la jeune fille, de sa situation familiale, de ses activités de loisirs…

Consignes

Votre texte comptera une trentaine de lignes.
Il comportera :
— un passage narratif ;
— un passage descriptif ;
— un passage de paroles rapportées au discours direct.

Découvrir le sujet

▶ Les questions

Grammaire
– Mode et temps de verbes.

Vocabulaire
– Champ lexical.
– Registre de langue.
– Relevés justificatifs.
– Sens de mots et d'expressions.
– Synonyme.

Écriture
– Figure de style.
– Genre du texte.
– Hypothèses de lecture.
– Indices de présence du narrateur.

▶ La rédaction

• Pour écrire la suite de ce texte, lisez le Point clé 2.
• Tenez compte des consignes données sur les formes de discours à combiner dans votre rédaction.

Henri Lopes
Le Chercheur d'Afriques
Éditions du Seuil, 1990

L'action se déroule au Congo.

Olouomo[1], sur la véranda, chantait en pilant. Elle ne m'avait pas vu
me glisser dans la pièce arrière. Je lorgnais le régime de fruits mûrs accroché à la poutre. Des petites bananes, de la taille d'un pouce. Les plus
sucrées. Un jour je m'en suis tellement régalé que j'ai souffert de coliques.
5 Mais comment les atteindre là-haut ?
    La veille, en attachant le régime, ma mère m'avait dit en me menaçant
du doigt :
    – Eh toi, petit monsieur-là, n'oublie surtout pas d'aller en voler.
    À côté des fruits, la fontaine à filtrer l'eau. Un cylindre blanc avec à la
10 base un robinet minuscule. Quand on le dévissait, je disais que l'appareil
faisait pipi. La première fois que le Commandant[2] avait entendu cette
réflexion, il avait éclaté de rire et m'avait pris dans ses bras avec fierté.
    Comme un chat à l'affût, j'étudiais l'itinéraire. En escaladant la chaise,
je pourrais grimper sur le meuble et, en m'appuyant contre le filtre, arracher
15 une banane parmi les plus mûres. Juste une. Personne ne s'en apercevrait.
    Je ne sais plus la suite.
    Mais on a tant de fois commenté l'événement que je peux reconstituer
la scène.
    J'ai dû glisser, et toute la famille est accourue en même temps, répon-
20 dant à mes cris. Olouomo fut la première à me porter secours. Ma mère
m'a pris dans ses bras et a appelé à l'aide. On lui avait tué son fils. On le
lui avait tué, hé ! On eût dit une chanson rituelle au rythme des sanglots.
Le Commandant est intervenu sans un mot : il m'a arraché des bras de
ma mère et a élevé la voix. Ngalaha[3] a hurlé de plus belle. Gronder un
25 enfant ! Gronder un enfant qui s'est fait mal !...
    Le Commandant lui a jeté un regard noir et m'a emporté en direction
du dispensaire. Les odeurs de médicaments sont insupportables. Surtout
celles-ci. On eût dit les médicaments de la douleur et de la mort. J'en hur-
lais plus fort encore.

30   Quand j'ai repris conscience, j'apercevais au travers de ma moustiquaire les ombres chinoises des grandes personnes qui murmuraient autour de moi. Elles parlaient de points de *soudure*. On avait dû me *souder* la peau.

Aujourd'hui encore, j'en porte la cicatrice sur l'épaule gauche.

---

1. Olouomo : parente venue aider la mère du narrateur aux travaux du ménage et lui tenir compagnie.
2. Le père du narrateur, médecin militaire français, est surnommé « Le Commandant » par son entourage.
3. Ngalaha : prénom de la mère du narrateur.

■ Questions (15 points)

I. LA CONVOITISE   6 POINTS

▶ **1.** Quel est l'objet de la quête de l'enfant ? *(0,5 point)*

▶ **2.** « Je lorgnais le régime de fruits mûrs accroché à la poutre » (lignes 2-3).
a) Trouvez un synonyme pour le verbe « lorgner ». *(1 point)*
b) Expliquez le choix de ce verbe par le narrateur. *(1 point)*

▶ **3.** « Des petites bananes, de la taille d'un pouce. Les plus sucrées » (lignes 3-4).
a) Nommez la particularité grammaticale de ces phrases. *(0,5 point)*
b) Quel est l'effet produit ? *(0,5 point)*

▶ **4. a)** En utilisant vos réponses précédentes, dites quel trait de caractère du narrateur est mis en évidence. *(1 point)*
b) Relevez la phrase du texte qui le confirme. *(0,5 point)*

▶ **5. a)** « Comme un chat à l'affût, j'étudiais l'itinéraire » (ligne 13). Dites quelle est la figure de style utilisée. *(0,5 point)*
b) De quelle qualité l'enfant devra-t-il faire preuve pour atteindre son but ? *(0,5 point)*
c) Trouvez dans les lignes 1 à 4 une action du petit garçon qui rappelle celle d'un chat. *(0,5 point)*

II. L'ÉVÉNEMENT   3,5 POINTS

▶ **6.** De quel événement s'agit-il ? Justifiez votre réponse en citant le texte. *(1 point)*

▶ **7.** « Je ne sais plus » et « je peux » (lignes 16-17).
a) À quel temps sont ces deux verbes ? Quelle est la valeur de ce temps ? *(0,5 point)*

b) À quel moment de la vie du narrateur renvoient ces « je » ? *(0,5 point)*
c) Relevez, à la fin du texte, une phrase où l'on retrouve ce temps et ce pronom personnel. *(0,5 point)*

▶ **8.** Après avoir évoqué l'événement, sur quoi le narrateur s'appuie-t-il pour poursuivre son récit ? Relevez la phrase qui l'indique. *(1 point)*

III. LES RÉACTIONS   5,5 POINTS

▶ **9.** « Je ne sais plus… hé ! » (lignes 16-22) :
qui prononce les paroles rapportées dans ce passage ?
À quel style sont-elles rapportées ? *(1,5 point)*

▶ **10.** Dans les lignes 16 à 25, comparez les réactions du père et celles de la mère. Justifiez vos propositions en vous appuyant sur le texte. *(2 points)*

▶ **11.** Dans les lignes 30 à 32, l'enfant a-t-il une perception précise de la situation ? Justifiez et précisez votre réponse. *(1 point)*

▶ **12.** « Les odeurs de médicament sont insupportables » (ligne 27).
a) Quel est le temps verbal employé ? Quelle est sa valeur ? *(0,5 point)*
b) Quelles indications donnent-elles sur le narrateur adulte ? *(0,5 point)*

■ Réécriture (4 points)

« Quand j'ai repris conscience, j'apercevais au travers de ma moustiquaire les ombres chinoises des grandes personnes qui murmuraient autour de moi. Elles parlaient de points de *soudure* » (lignes 30 à 32).
Réécrivez ce passage en mettant les verbes au futur simple de l'indicatif et en remplaçant « je » par « ils ». Faites les modifications nécessaires. Remplacez « qui murmuraient » par un participe.

■ Dictée (6 points)

Louis Hémon
Maria Chapdelaine
1916

D'innombrables moustiques tourbillonnaient dans l'air brûlant de l'après-midi. À chaque instant, il fallait les écarter d'un geste ; ils décrivaient une courbe affolée et revenaient de suite, impitoyables, inconscients, uniquement anxieux de trouver un pouce carré de peau pour leur piqûre ; à leur musique se mêlait le bourdonnement des terribles mouches noires, et le tout emplissait le bois comme un cri sans fin.

■ Rédaction (15 points)

Sujet

L'enfant, soigné, s'est endormi et les parents se sont retrouvés à l'extérieur de la maison. Une discussion s'est tenue à propos de son éducation.

Votre rédaction comportera une partie narrative qui introduira la discussion.

Dans le dialogue qui suivra, chacun reprochera à l'autre son attitude et avancera des arguments sur la conduite à tenir. Des exemples précis, tirés du texte ou inventés par vous, viendront appuyer leurs propos.

Votre texte se terminera par un autre passage narratif présentant le dénouement de cette situation.

Découvrir le sujet

▶ Les questions

Grammaire
- Discours rapporté.
- Syntaxe.
- Temps et modes verbaux.
- Valeurs des temps verbaux.

Vocabulaire
- Relevés justificatifs.
- Sens de mots ou d'expressions.
- Synonyme.

Écriture
- Figure de style.
- Hypothèses de lecture.
- Indices de présence du narrateur.

▶ La rédaction

• Lisez le Point clé 3, en particulier ce qui concerne le dialogue argumentatif.

• Repérez dans le sujet posé les différentes formes de discours que vous devez mettre en œuvre.

Pierre Péju
La Petite Chartreuse
Gallimard, 2002

Éva, une petite fille de dix ans, a été renversée par une voiture. Après un séjour à l'hôpital, elle est placée dans un centre de rééducation. La mère d'Éva demande à l'auteur de l'accident, Vollard, un libraire, de lui rendre visite.

Ils[1] pénétrèrent dans une vaste salle où les jeunes gens cabossés par les accidents les plus terribles jouaient aux cartes, assis dans leurs fauteuils roulants, le torse enserré dans des corsets rigides, le menton soutenu par des minerves. Un téléviseur déversait une sauce épaisse d'inepties colo-
5 rées. Certains handicapés, la voix rendue bizarrement pâteuse ou saccadée par une bouche tordue, s'injuriaient pour un paquet de cigarettes. Ils avaient des gestes contrefaits et théâtraux qui se voulaient grossiers.

Éva était assise dans ce vacarme, exactement sous l'étagère supportant le téléviseur, indifférente à la fumée des cigarettes et aux vociférations.
10 Rêveuse à vide. Regard vague. Vollard, en l'observant, pensa sans trop savoir pourquoi à un appareil de projection, tournant et cliquetant, dif-fusant un rayon de chaude lumière, mais dans lequel la pellicule couverte d'images aurait manqué.

Il s'accroupit du mieux qu'il put devant l'enfant si calme et si frêle. Il
15 tendit à plat sa main ouverte, immense, mais la fillette ne réagit pas. Pour-tant, elle regardait cette main et on aurait pu imaginer une lueur d'ironie au fond de ses yeux cernés. Alors Vollard s'empara délicatement de la main d'Éva, comme il eût fait d'un petit animal, grenouille-fauvette ou sauterelle-hermine, et il la posa au creux de sa propre paume. Impercep-
20 tiblement, les deux mains disproportionnées se fermèrent l'une dans l'autre. Vollard serrait à peine, mais les petits doigts bougeaient aussi, agrippaient doucement, acceptant de se lover dans cette chair chaude creusée de lignes de vie, de malchance et de cœur.

– Bien sûr que vous pouvez l'emmener en promenade ! Mais bien sûr !
25 Elle participe aux sorties en groupe, mais personne ne l'a jamais emmenée marcher, toute seule, sur les chemins autour du centre. Sa maman a rare-ment le temps. Les jambes d'Éva vont bien désormais.

Vollard et Éva quittèrent le bâtiment du centre et s'éloignèrent. Vollard se courbait un peu pour tenir par la main l'enfant qui se laissait gui-
30 der, muette. Aussitôt, ils furent en pleine nature, sur un chemin de terre, allant je ne sais où... On n'aurait su dire si la fillette observait le décor montagneux ou si rien n'accrochait son attention, mais on eût dit qu'elle captait malgré tout quelque chose, respirant fort, narines dilatées, et fermant par instants les yeux comme si elle soupesait l'air vif sur la subtile
35 balance de ses paupières.

---

1. Ils : Vollard et le directeur du centre.

■ Questions (15 points)

I. LE CENTRE DE RÉÉDUCATION   5 POINTS

▶ **1. a)** Quel est le point de vue dominant dans ce texte ? *(0,5 point)*
b) Fournissez deux preuves à l'appui de votre réponse. *(0,5 point)*

▶ **2.** « ...les jeunes gens cabossés par les accidents les plus terribles » (lignes 1 et 2).
a) À quel registre (ou niveau) de langue appartient le mot « cabossé » ? *(0,5 point)*
b) L'utilise-t-on habituellement pour désigner des êtres humains ? Justifiez votre réponse. *(0,5 point)*

▶ **3.** « Un téléviseur déversait une sauce épaisse d'inepties colorées » (lignes 4-5).
a) Quelle est la figure de style utilisée ici ? *(0,5 point)*
b) Quelle est l'impression suggérée par l'emploi du verbe « déversait » ? *(0,5 point)*
c) Remplacez « inepties » par un synonyme. *(0,5 point)*

▶ **4.** Donnez deux raisons justifiant l'emploi du mot « vacarme » (ligne 8). *(0,5 point)*

▶ **5.** Comment l'auteur montre-t-il que la fillette refuse le contact avec les autres malades ? *(1 point)*

II. ÉVA, UNE ENFANT PERDUE ?   4 POINTS

▶ **6.** « Rêveuse à vide. Regard vague » (ligne 10).
Identifiez deux procédés par lesquels l'auteur met en valeur ces deux phrases. *(0,5 point)*

▶ **7.** « Elle participe aux sorties en groupe, mais personne ne l'a jamais emmenée marcher, toute seule, sur les chemins autour du centre » (lignes 25-26).
Quel est le rapport logique introduit par la conjonction de coordination ? *(0,5 point)*

▶ **8.** « Sa maman a rarement le temps » (lignes 26-27).
a) Rattachez logiquement cette phrase à la précédente par une subordonnée. *(0,5 point)*
b) Trouvez une autre phrase du texte qui témoigne du besoin d'affection de la petite fille. *(1 point)*

▶ **9.** D'après vous, dans quel état psychologique Éva se trouve-t-elle ? Donnez au moins trois éléments pour justifier votre réponse. *(1,5 point)*

III. UNE RENCONTRE ÉMOUVANTE   6 POINTS

▶ **10.** « …les deux mains disproportionnées se fermèrent l'une dans l'autre » (lignes 20-21).
a) Expliquez ce que signifie le terme « disproportionnées ». *(0,5 point)*
b) Trouvez dans ce paragraphe (lignes 14 à 23) trois expressions qui justifient l'emploi de ce terme. *(0,5 point)*

▶ **11.** « Imperceptiblement » (lignes 19-20).
a) Décomposez ce terme. *(0,5 point)*
b) Que vous apprend-il sur cette première prise de contact ? *(0,5 point)*
c) Trouvez dans le même paragraphe un autre adverbe qui confirme la façon dont s'opère cette prise de contact. *(0,5 point)*

▶ **12. a)** Dans le troisième paragraphe (lignes 14 à 23), relevez une comparaison. *(0,5 point)*
b) Quelle interprétation peut-on déduire de cette comparaison ? *(1 point)*

▶ **13. a)** Quel est celui des cinq sens dont la fillette se sert pendant la promenade ? *(0,5 point)*
b) Quel est celui que, curieusement, elle semble ne pas utiliser ? *(0,5 point)*
c) En quoi cette attitude est-elle explicable si l'on songe à ce que nous savons du personnage ? *(1 point)*

■ Réécriture (4 points)

« …vous pouvez l'emmener en promenade ! […] Elle participe aux sorties en groupe, mais personne ne l'a jamais emmenée marcher, toute seule, sur les chemins autour du centre. Sa maman a rarement le temps » (lignes 24 à 27).
Réécrivez ce passage en commençant par « Le directeur du centre affirma que » et en faisant les transformations nécessaires.

■ Dictée (6 points)

Pierre Péju
La Petite Chartreuse
Gallimard, 2002

Il se tenait debout sur les marches qui conduisent à la chapelle, une épaule appuyée contre le socle couvert d'affiches de la statue de Victor Hugo. Solitaire, immense, vêtu d'une grande veste informe, jambes croisées, tête penchée, pensif et comme indifférent à tout ce qui se passait autour de lui, Étienne Vollard lisait […].
Ainsi posté en haut des marches, il dominait toutes les assemblées, les mouvements, la cacophonie des paroles. Vollard, statue vivante, adossé à la statue d'un écrivain devenu invisible. Il lisait comme s'il se fût trouvé devant une fenêtre grande ouverte.

Écrire au tableau : Étienne Vollard, Victor Hugo.

■ Rédaction (15 points)

Le lendemain, Vollard rencontre la mère d'Éva. Il lui raconte la visite de la veille et tente de la convaincre d'aller voir sa fille plus souvent. Imaginez cette scène.
Votre texte comportera des parties narratives, descriptives et argumentatives. Insistez particulièrement sur l'expression des émotions de Vollard et sur la manière dont il s'y prend pour convaincre la mère.
Il sera tenu compte, dans l'évaluation, de la correction de la langue et de l'orthographe.

Découvrir le sujet

▶ Les questions

Grammaire
– Rapport logique.
– Transformation en proposition subordonnée.

Vocabulaire
– Formation de mots.
– Registre de langue.
– Relevés justificatifs.
– Sens de mots ou d'expressions.
– Synonyme.

Écriture
– Figure de style.
– Hypothèses de lecture.

▶ La rédaction

• Lisez les Points clés 1 et 6.
• Vous devez prévoir des transitions pour passer d'une forme de discours à l'autre.

Pierre Péju
La Petite Chartreuse
Gallimard, 2002

Visite au centre spécialisé

Un soir pluvieux, au volant de sa camionnette, Vollard a renversé la petite Éva qui rentrait de l'école et, affolée et imprudente, traversait une avenue très fréquentée d'une grande ville.

Après l'accident et l'hospitalisation de la petite fille, Vollard vient lui rendre visite au centre de rééducation.

Vollard s'étonna de ne pas devoir justifier de son identité, mais il suivit sans rien dire le sous-directeur à travers les couloirs.

– Je dois vous avouer, Monsieur Vollard, que vous étiez très attendu ici. Vous êtes un oncle ? Un parent ? Enfin, ça ne me regarde pas ! Mais
5 il est souhaitable que la fillette ait des visites. La maman a dû accepter un travail loin d'ici, je crois… Elle n'est que très peu venue et restait à peine quand elle venait. Pourtant l'enfant va bien, mais il n'y a guère de changements. Les séquelles paraissent irréversibles. Toujours ce mutisme[1].

Ils pénétrèrent dans une vaste salle où les jeunes gens cabossés par les
10 accidents les plus terribles jouaient aux cartes, assis dans leurs fauteuils roulants, le torse enserré dans des corsets rigides, le menton soutenu par des minerves. Un téléviseur déversait une sauce épaisse d'inepties colorées. Certains handicapés, la voix rendue bizarrement pâteuse ou saccadée par une bouche tordue, s'injuriaient pour un paquet de cigarettes. Ils
15 avaient des gestes contrefaits et théâtraux qui se voulaient grossiers.

Éva était assise dans ce vacarme, exactement sous l'étagère supportant le téléviseur, indifférente à la fumée des cigarettes et aux vociférations. Rêveuse à vide. Regard vague. Vollard, en l'observant, pensa sans trop savoir pourquoi à un appareil de projection, tournant et cliquetant, dif-
20 fusant un rayon de chaude lumière, mais dans lequel la pellicule couverte d'images aurait manqué.

Il s'accroupit du mieux qu'il put devant l'enfant si calme et si frêle. Il tendit à plat sa main ouverte, immense, mais la fillette ne réagit pas. Pour-

tant, elle regardait cette main et on aurait pu imaginer une lueur d'ironie
25 au fond de ses yeux cernés. Alors Vollard s'empara délicatement de la
main d'Éva, comme il eût fait d'un petit animal, grenouille-fauvette ou
sauterelle-hermine, et il la posa au creux de sa propre paume. Imperceptiblement, les deux mains disproportionnées se fermèrent l'une dans
l'autre. Vollard serrait à peine, mais les petits doigts bougeaient aussi,
30 agrippaient doucement, acceptant de se lover[2] dans cette chair chaude
creusée de lignes de vie, de malchance et de cœur.

– Bien sûr que vous pouvez l'emmener en promenade ! Mais bien sûr !
Elle participe aux sorties en groupe, mais personne ne l'a jamais emmenée
marcher, toute seule, sur les chemins autour du centre. Sa maman a rare-
35 ment le temps. Les jambes d'Éva vont bien désormais.

---

1. Mutisme : absence de communication verbale.
2. Se lover : se serrer.

■ Questions (15 points)

I. LA NARRATION   5 POINTS

▶ **1.** Quel est le point de vue adopté par le narrateur (interne, externe,
omniscient) ? Justifiez votre réponse. *(1 point)*

▶ **2.** Dans le cinquième paragraphe « il s'accroupit […] et de cœur »
(lignes 22 à 31), quels sont les deux temps employés ? Relevez deux exemples dans le texte pour chacun de ces temps. Quelles sont les valeurs de
ces temps ? *(2 points)*

▶ **3.** Dans le passage allant de « Je dois vous avouer… » jusqu'à
« mutisme » (lignes 3 à 8), dites à quelle forme de discours rapporté cor-
respondent les paroles du sous-directeur. Quel effet produit l'emploi de
ce discours dans le texte ? *(1 point)*

▶ **4.** Le passage allant de « Bien sûr… » jusqu'à « …vont bien désormais »
(lignes 32 à 35) correspond à une réponse faite à une question posée, mais
non exprimée :
a) Qui a posé cette question ? *(0,5 point)*
b) Imaginez la question qui a pu être posée. *(0,5 point)*

II. UN UNIVERS DE SOUFFRANCE   5,5 POINTS

▶ **5.** De « Ils pénétrèrent… » à « …qui se voulaient grossiers » (lignes 9 à 15), quel temps prédomine ? Expliquez l'emploi de ce temps. *(1 point)*

▶ **6.** En vous appuyant sur ses différents champs lexicaux, montrez que cet univers est marqué par :
a) La souffrance physique. Citez deux mots ou expressions précises. *(1 point)*
b) La souffrance morale. Citez deux mots ou expressions précises. *(1 point)*
c) Le caractère agressif des lieux. Citez deux éléments précis. *(1 point)*

▶ **7.** « Les séquelles paraissent underline(irréversibles) » (ligne 8) ;
a) Expliquez la formation du mot souligné. *(1 point)*
b) Que signifie ce mot ? *(0,5 point)*

III. LA TENDRESSE DES PERSONNAGES   4,5 POINTS

▶ **8.** Éva paraît absente de cet univers. Relevez deux expressions qui le montrent. *(1 point)*

▶ **9.** En vous appuyant sur le texte, montrez que le physique de Vollard s'oppose à celui d'Éva. Citez deux expressions. *(1 point)*

▶ **10.** « Alors Vollard s'empara délicatement de la main d'Éva, comme il eût fait d'un petit animal, grenouille-fauvette ou sauterelle-hermine » (lignes 25 à 27).
a) Quelle est la figure de style utilisée dans cet extrait ? Expliquez-la. *(1 point)*
b) Comment les deux personnages parviennent-ils à communiquer ? Quel sens utilisent-ils ? *(1,5 point)*

■ Réécriture (5 points)

▶ **1.** Réécrivez la première phrase « Vollard […] couloirs » (lignes 1-2) à la première personne du singulier. Faites les transformations nécessaires. Soulignez les transformations effectuées. *(2 points)*

▶ **2.** Réécrivez le troisième paragraphe, « Ils pénétrèrent […] grossiers » (lignes 9 à 15), au présent de l'indicatif. Faites les modifications qui conviennent. Soulignez les transformations effectuées. *(3 points)*

■ Dictée (5 points)

Pierre Péju
La Petite Chartreuse
Gallimard, 2002

Quand elle était sur ses épaules, il la trouvait légère, bien trop légère, et il la maintenait par les poignets, jusqu'à ce qu'elle s'endorme, la joue posée sur sa tignasse. […]

Marcher quelques jours de sa vie en compagnie de l'enfant, dans une brume de soleil et de pollen, la splendeur des prairies et des bois, lui suffisait. Avec cette main minuscule dans la sienne, son propre corps lui semblait moins encombrant. […] Dans le sommeil de l'aube, il lui arrivait de rêver qu'il marchait dans la Chartreuse, seul, dans un chaos de roches grises, qu'il avait perdu la petite, qu'il la cherchait, qu'il l'appelait.

Éva devenait l'enfant qu'il n'avait pas eu, qu'il n'aurait jamais, d'aucune femme.

Écrire au tableau : Chartreuse.

■ Rédaction (15 points)

Sujet
Au cours de leur promenade, Vollard explique à Éva, qui a perdu la parole lors de l'accident, les raisons pour lesquelles il est venu lui rendre visite.

Consignes
Votre devoir comportera :
– un passage narratif décrivant les circonstances de la conversation ;
– un passage argumentatif, sous forme de monologue, dans lequel Vollard expose son point de vue.
Vous penserez aussi à indiquer comment réagit Éva au discours de Vollard.

Découvrir le sujet

▶ Les questions

Grammaire
- Discours rapporté.
- Temps et modes verbaux.
- Valeurs des temps verbaux.

Vocabulaire
- Champ lexical.
- Formation d'un mot.
- Relevés justificatifs.
- Sens de mots ou d'expressions.

Écriture
- Figure de style.
- Hypothèses de lecture.
- Point de vue.

▶ La rédaction

• Lisez les Points clés 1 et 6.

• Servez-vous des réponses que vous avez trouvées aux questions sur le texte pour cerner les sentiments et les réactions des deux personnages.

Michel Tournier
Vendredi ou la Vie sauvage
Gallimard, 1971

La grotte dans laquelle habite Robinson et qui abrite tout ce qu'il a de précieux vient d'exploser à cause d'une maladresse de Vendredi, l'Indien devenu son compagnon.

L'entrée de la grotte était bouchée par un amoncellement de rochers. L'un d'eux formait comme un pic au-dessus du chaos[1] et devait offrir un point de vue extraordinaire sur l'île et la mer. Robinson regardait autour de lui et ramassait machinalement les objets que la grotte avait vomis
5   avant de se refermer. Il y avait un fusil au canon tordu, des sacs troués, des paniers défoncés. Vendredi l'imitait, mais au lieu d'aller déposer comme lui au pied du cèdre[2] les objets qu'il avait trouvés, il achevait de les détruire. Robinson le laissait faire, mais il tressaillit tout de même quand il le vit disperser à pleines poignées un peu de blé qui restait au
10 fond d'un chaudron.
Le soir tombait, et ils venaient enfin de trouver un objet intact – la longue-vue – lorsqu'ils découvrirent le cadavre de Tenn[3] au pied d'un arbre. Vendredi le palpa attentivement. Il n'avait rien de brisé apparemment, il semblait même n'avoir rien du tout. Pauvre Tenn, si vieux, si
15 fidèle ! L'explosion l'avait peut-être fait mourir tout simplement de peur !
Le vent se leva. Ils allèrent ensemble se laver dans la mer. Puis ils partagèrent un ananas sauvage, et Robinson se souvint que c'était la première chose qu'il eût mangée dans l'île après le naufrage. Enfin ils s'étendirent au pied du grand cèdre pour essayer de dormir.
20 Robinson réfléchissait en regardant la lune entre les branches noires du cèdre. Ainsi toute l'œuvre qu'il avait accomplie sur l'île, ses cultures, ses élevages, ses constructions, toutes les provisions qu'il avait accumulées dans la grotte, tout cela était perdu par la faute de Vendredi. Et pourtant il ne lui en voulait pas. La vérité, c'est qu'il en avait assez depuis longtemps
25 de cette organisation ennuyeuse et tracassière[4], mais qu'il n'avait pas le courage de la détruire. Maintenant, ils étaient libres tous les deux. Robin-

son se demandait avec curiosité ce qui allait se passer, et il comprenait que ce serait désormais Vendredi qui mènerait le jeu.

---

1. Chaos : grand désordre.
2. Cèdre : grand arbre.
3. Tenn est le chien de Robinson.
4. Tracassière : qui lui cause du souci.

■ Questions (15 points)

I. LE CADRE DU RÉCIT   4 POINTS

▶ **1.** Où se déroule cette histoire ? *(1 point)*

▶ **2.** Qui sont les personnages de ce récit ? *(1 point)*

▶ **3.** Le narrateur est-il un des personnages ? Justifiez votre réponse. *(1 point)*

▶ **4.** Pourquoi Robinson se trouve-t-il à cet endroit ? Recopiez le mot du texte qui justifie votre réponse. *(1 point)*

II. UNE CATASTROPHE   6 POINTS

▶ **5.** Que s'est-il passé quelques minutes avant les événements de ce passage ? *(1 point)*

▶ **6.** Que contenait cette grotte ? Citez quatre objets en les classant du plus précieux (ou utile) au moins précieux. *(1 point)*

▶ **7.** Que représentait cette grotte pour Robinson ? Quelle expression du texte résume cette idée ? *(1 point)*

▶ **8.** Recopiez quatre mots du texte appartenant au champ lexical (vocabulaire) de la destruction. *(1 point)*

▶ **9.** Quel être vivant a disparu dans l'explosion ? Comment ? *(1 point)*

▶ **10.** Quel temps est surtout utilisé dans le premier paragraphe ? Recopiez deux exemples. Quelle est la valeur de ce temps ? *(1 point)*

III. CHANGEMENT DE RÔLE   5 POINTS

▶ **11.** En quoi le comportement de Robinson et celui de Vendredi sont-ils différents dans le premier paragraphe ? *(1 point)*

▶ **12.** Quelles actions semblables les deux hommes accomplissent-ils dans le troisième paragraphe ? Citez au moins deux actions. *(1 point)*

▶ **13.** En quoi la réaction de Robinson dans le dernier paragraphe est-elle étonnante ? *(1 point)*

▶ **14.** Qui était le maître avant l'explosion ? Pourquoi ? *(1 point)*

▶ **15.** Qui sera le maître après cette catastrophe ? Pourquoi ? *(1 point)*

■ Réécriture (5 points)

▶ **1.** Réécrivez le passage « Le soir tombait [...] palpa attentivement » (lignes 11 à 13) au présent de l'indicatif. *(2 points)*

▶ **2.** Réécrivez le passage « Et pourtant [...] la détruire » (lignes 23 à 26) en remplaçant « il » par « je ». *(3 points)*

■ Dictée (5 points)

J.-M. G. Le Clézio
Désert
Gallimard, 1980

Alors, elle s'assoit sur la plage, entre les dunes, et elle regarde la troupe de mouettes qui vole le long du rivage. Elles volent facilement, sans faire beaucoup d'efforts, leurs longues ailes courbes appuyées sur le vent, la tête rejetée un peu de côté. Elles cherchent à manger, parce que non loin de là il y a la grande décharge de la ville, là où viennent les camions. Elles crient toujours, en faisant leur drôle de gémissement ininterrompu où éclatent tout à coup, sans raison, des cris aigus, des glapissements, des rires.

Écrire au tableau : glapissements.

■ Rédactions au choix (15 points)

Sujet 1 (sujet d'imagination)
Après avoir fouillé les décombres, Robinson et Vendredi se reposent et mangent. Imaginez la discussion qu'ils ont à ce moment-là.
Rédigez un dialogue d'une vingtaine de lignes, en vous appuyant sur les indications fournies dans le dernier paragraphe et en tenant compte de l'état d'esprit de Robinson à l'égard de Vendredi.

Sujet 2 (sujet de réflexion)

Robinson « en avait assez depuis longtemps de cette organisation ennuyeuse et tracassière ».

Parmi les règles que l'on vous demande d'observer dans la vie quotidienne (par exemple à l'école, à la maison, dans la rue…), lesquelles vous semblent nécessaires ? Lesquelles aimeriez-vous modifier ? Citez au moins deux règles nécessaires. Pourquoi vous semblent-elles incontournables ? Citez au moins deux règles à modifier. Pourquoi voudriez-vous les changer ?

Rédigez une vingtaine de lignes en justifiant votre réponse.

Découvrir le sujet

▶ Les questions

Grammaire

– Temps et mode verbal.
– Valeurs des temps verbaux.

Vocabulaire

– Champ lexical.
– Relevés justificatifs.
– Sens de mots ou d'expressions.

Écriture

– Figure de style.
– Hypothèses de lecture.
– Indices de lieu.
– Indices de présence du narrateur.

▶ Les rédactions

Sujet 1

• Lisez le Point clé 3.
• Appuyez-vous sur les réponses aux questions pour imaginer les réactions de Robinson.

Sujet 2

• Lisez le Point clé 6.
• Le sujet donne le plan de votre rédaction : deux parties qui comprennent chacune deux paragraphes.

Fred Vargas
Debout les morts
Éditions Viviane Hamy, 1995

Ce texte est la première page du roman.

Un arbre dans le jardin

— Pierre, il y a quelque chose qui déraille dans le jardin, dit Sophia.

Elle ouvrit la fenêtre et examina ce bout de terrain qu'elle connaissait herbe par herbe. Ce qu'elle voyait lui faisait froid dans le dos.

Pierre lisait le journal au petit déjeuner. C'était peut-être pour ça que
5   Sophia regardait si souvent par la fenêtre. Voir le temps qu'il faisait. C'est quelque chose qu'on fait assez souvent quand on se lève. Et chaque fois qu'il faisait moche, elle pensait à la Grèce, bien entendu. Ces contemplations immobiles s'emplissaient à la longue de nostalgies qui se dilataient certains matins jusqu'au ressentiment[1]. Ensuite, ça passait. Mais ce
10 matin, le jardin déraillait.

— Pierre, il y a un arbre dans le jardin.

Elle s'assit à côté de lui.

— Pierre, regarde-moi.

Pierre leva un visage lassé vers sa femme. Sophia ajusta son foulard
15 autour de son cou, une discipline conservée du temps où elle était cantatrice. Garder la voix au chaud. Vingt ans plus tôt, sur un gradin de pierre du théâtre d'Orange, Pierre avait édifié une montagne compacte de serments d'amour et de certitudes. Juste avant une représentaiton.

Sophia retint dans une main ce morne[2] visage de lecteur de journal.
20 — Qu'est-ce qui te prend, Sophia ?

— J'ai dit quelque chose.

— Oui ?

— J'ai dit : « Il y a un arbre dans le jardin. »

— J'ai entendu. Ça paraît normal, non ?
25 — Il y a un arbre dans le jardin, mais il n'y était pas hier.

— Et après ? Qu'est-ce que tu veux que ça me fasse ?

Sophia n'était pas calme. Elle ne savait pas si c'était le coup du journal, ou le coup du regard lassé, ou le coup de l'arbre, mais il était clair que quelque chose n'allait pas.

30   – Pierre, explique-moi comment fait un arbre pour arriver tout seul dans un jardin.

Pierre haussa les épaules. Ça lui était complètement égal.

– Quelle importance ? Les arbres se reproduisent. Une graine, une pousse, un surgeon³ et l'affaire est faite. Ensuite, ça fait des grosses forêts,
35 sous nos climats. Je suppose que tu es au courant.

– Ce n'est pas une pousse. C'est un arbre ! Un arbre jeune, bien droit, avec les branches et tout le nécessaire, planté tout seul à un mètre du mur du fond. Alors ?

_____

1. Ressentiment : colère contenue.
2. Morne : inexpressif.
3. Surgeon : pousse aérienne, née sur une racine, et qui produit d'autres racines.

■ Questions (15 points)

I. LES DEUX PERSONNAGES   3 POINTS

▶ **1.** Quel lien familial unit les deux personnages ?
Justifiez votre réponse en citant le texte. *(0,5 point)*

▶ **2.** Qu'apprend-on sur le passé de Sophia ? *(0,5 point)*

▶ **3.** « Pierre avait édifié une montagne compacte de serments d'amour et de certitudes » (lignes 17-18).
a) Nommez l'image. *(0,5 point)*
b) À quel moment de leur relation cette image renvoie-t-elle ?
Citez une expression du texte à l'appui de votre réponse. *(0,5 point)*
c) Quelle vision cette image donne-t-elle de l'amour de Pierre ? *(1 point)*

II. UNE COMMUNICATION DIFFICILE   6,5 POINTS

▶ **4. a)** Dans les lignes 4 à 10, quel est le temps verbal qui domine ? Quelle est sa valeur ? *(0,5 point)*
b) Que révèle-t-elle de la relation entre les deux personnages ? *(1 point)*

▶ **5. a)** Dans les lignes 4 à 10, à quoi Sophia s'occupe-t-elle ? *(0,5 point)*
b) Pourquoi agit-elle ainsi ? *(1 point)*

▶ **6. a)** Par quel type de phrases Pierre s'adresse-t-il le plus souvent à Sophia ? *(0,5 point)*

b) Pour quelle raison selon vous ? *(1 point)*

c) Quel est selon vous l'intérêt du discours direct ?
Donnez au moins deux éléments de réponse. *(1 point)*

▶ **7.** Quels sentiments Pierre éprouve-t-il ? Vous en indiquerez deux que vous illustrerez par deux citations du texte. *(1 point)*

III. UNE DÉCOUVERTE INSOLITE   5,5 POINTS

« [I]l y a quelque chose qui déraille dans le jardin » (ligne 1).

▶ **8. a)** Donnez la composition du mot « dérailler ». *(0,5 point)*

b) Vous en déduirez le sens. *(0,5 point)*

c) Quelle est la signification de ce verbe dans le texte ? *(0,5 point)*

▶ **9. a)** Quel sentiment éprouve Sophia en prononçant cette phrase ? *(0,5 point)*

b) Vous éclairerez votre réponse par une citation du texte. *(0,5 point)*

▶ **10. a)** Pierre partage-t-il ce sentiment ?
Quel type d'explication donne-t-il au phénomène ? *(0,5 point)*

b) Cette explication vous paraît-elle valable ? Pourquoi ? *(1 point)*

▶ **11. a)** Quelle atmosphère ce début de roman met-il en place ? *(0,5 point)*

b) À quelle sorte de roman peut-on s'attendre ? *(1 point)*

■ Réécriture (5 points)

« Elle ouvrit […] si souvent par la fenêtre » (lignes 2 à 5).
Réécrivez le passage au présent de l'indicatif.
Remplacez « elle » par « elles ».
Faites toutes les transformations nécessaires.

■ Dictée (5 points)

D'après Jean Giono
Un roi sans divertissement, 1947

Le hêtre de la scierie n'avait pas encore, certes, l'ampleur que nous lui voyons. Mais, sa jeunesse ou plus exactement son adolescence était d'une carrure et d'une étoffe qui le mettaient à cent coudées au-dessus de tous les autres arbres, même de tous les autres arbres réunis. Son feuillage était d'un dru, d'une épaisseur, d'une densité de pierre, et sa charpente (dont on ne pouvait rien voir, tant elle était couverte et recouverte de rameaux plus opaques les uns que les autres) devait être d'une force et d'une beauté rares pour porter avec tant d'élégance tant de poids accumulé.

Écrire au tableau : une coudée.

■ Rédaction (15 points)

Sujet

« Il y a quelque chose qui déraille dans la cour… ! », dis-je en arrivant au collège.
Vous poursuivez votre dialogue avec un camarade pour tenter de trouver des explications à cette apparition étrange de « quelque chose » qui n'était pas là la veille.

Consignes

Les explications s'appuieront sur une description précise de ce qui a surgi. Chacun avancera une ou des explications différente(s) et cherchera à persuader l'autre.
Vous respecterez les règles du dialogue.
Il sera tenu compte dans l'évaluation de la correction de la langue.

Découvrir le sujet

▶ **Les questions**
Grammaire
– Discours rapporté.
– Temps et mode verbaux.
– Type de phrases.
– Valeurs des temps verbaux.

Vocabulaire
– Formation de mots.
– Relevés justificatifs.
– Sens de mots ou d'expressions.

Écriture

– Figures de style.

– Hypothèses de lecture.

▶ La rédaction

• Lisez le Point clé 3 avant d'écrire votre dialogue.

• N'oubliez pas que chaque interlocuteur doit essayer de convaincre celui à qui il parle.

Georges Brassens
Poèmes et chansons
Points « Virgule », 1993

Jeanne

Chez Jeanne, la Jeanne
Son auberge est ouverte aux gens sans feu ni lieu,
On pourrait l'appeler l'auberge du Bon Dieu
S'il n'en existait déjà une,
5 La dernière où l'on peut entrer
Sans frapper, sans montrer patte blanche…

Chez Jeanne, la Jeanne
On est n'importe qui, on vient n'importe quand,
Et, comme par miracle, par enchantement,
10 On fait partie de la famille,
Dans son cœur, en s'poussant un peu,
Reste encore une petite place…

La Jeanne, la Jeanne,
Elle est pauvre et sa table est souvent mal servie,
15 Mais le peu qu'on y trouve assouvit[1] pour la vie,
Par la façon qu'elle le donne,
Son pain ressemble à du gâteau
Et son eau à du vin comm' deux gouttes d'eau…

La Jeanne, la Jeanne,
20 On la paie quand on peut des prix mirobolants[2] :
Un baiser sur son front ou sur ses cheveux blancs,
Un semblant d'accord de guitare,
L'adresse d'un chat échaudé
Ou d'un chien tout crotté comm' pourboire…

25 La Jeanne, la Jeanne,
Dans ses ros's et ses choux n'a pas trouvé d'enfant,
Qu'on aime et qu'on défend contre les quatre vents,

175

Et qu'on accroche à son corsage,
Et qu'on arrose avec son lait…
30 D'autres qu'elle en seraient tout's chagrines…

Mais Jeanne, la Jeanne,
Ne s'en soucie pas plus que de colin-tampon[3],
Être mère de trois poulpiquets, à quoi bon !
Quand elle est mère universelle,
35 Quand tous les enfants de la terre,
De la mer et du ciel sont à elle…

---

1. Assouvir : satisfaire pleinement.
2. Mirobolant : excessif.
3. Ne s'en soucie pas plus que de colin-tampon : cela ne l'intéresse pas du tout.

■ Questions (15 points)

I. UN PERSONNAGE POPULAIRE   4,5 POINTS

▶ **1. a)** Quel mot caractérise Jeanne dans la troisième strophe ? *(0,5 point)*
b) Donnez-en la classe et la fonction grammaticales. *(1 point)*

▶ **2.** Relevez l'expression qui désigne les personnes auxquelles Jeanne ouvre son auberge. Expliquez-en le sens. *(1 point)*

▶ **3.** À quel niveau de langue appartient le groupe nominal « la Jeanne » ? Justifiez votre réponse. *(0,5 point)*

▶ **4.** Donnez un synonyme de « poulpiquets » (vers 33) en respectant le niveau de langue. *(0,5 point)*

▶ **5.** Déduisez des réponses précédentes l'effet que produit sur le lecteur le portrait de Jeanne. Expliquez votre réponse. *(1 point)*

II. UN PERSONNAGE HORS DU COMMUN   6,5 POINTS

▶ **6.** « On est n'importe qui, on vient n'importe quand » (vers 8).
a) Donnez deux éléments sur lesquels se construisent le rythme et la musicalité de ce vers. *(0,5 point)*
b) Que représente le pronom « On » dans ce vers ? *(0,5 point)*
c) Quelle qualité de Jeanne est ici mise en valeur ? *(0,5 point)*

▶ **7.** « sans montrer patte blanche » (vers 6).

a) Expliquez cette expression. *(0,5 point)*

b) Quelle autre qualité de Jeanne est ici mise en valeur ? *(0,5 point)*

▶ **8.** « On la paie quand on peut des prix mirobolants » (vers 20).

a) Relevez dans ce vers la proposition subordonnée. Donnez sa fonction. *(1 point)*

b) Que désigne l'expression « des prix mirobolants » ? *(0,5 point)*

c) L'adjectif « mirobolants » vous semble-t-il adapté ici ? Justifiez son emploi. *(0,5 point)*

d) Quelle attitude Jeanne adopte-t-elle envers les gens qu'elle reçoit ? *(0,5 point)*

▶ **9. a)** Relevez deux comparaisons qui montrent que le moindre don de Jeanne est transformé. *(0,5 point)*

b) Comment Jeanne provoque-t-elle cette transformation ? *(0,5 point)*

c) Quelle(s) autre(s) explication(s) à cette transformation trouve-t-on plus haut dans le texte ? *(0,5 point)*

III. UNE FIGURE SYMBOLIQUE   4 POINTS

▶ **10.** Quelle est la valeur du présent employé dans les trois derniers vers ? *(0,5 point)*

▶ **11. a)** Relevez les quatre propositions subordonnées relatives qui évoquent certains aspects de la maternité. *(0,5 point)*

b) Quel est leur antécédent commun ? *(0,5 point)*

▶ **12.** « mère universelle » (vers 34).

a) Dans cette expression, quel est le radical de l'adjectif ? *(0,5 point)*

b) Quels sont les mots qui viennent en renforcer le sens dans cette dernière strophe ? *(0,5 point)*

c) Donnez le sens de cette expression. *(0,5 point)*

▶ **13.** En conclusion, quelles qualités maternelles le poète accorde-t-il à son personnage ? *(1 point)*

■ Réécriture (3 points)

Réécrivez les vers 14 à 18 en remplaçant « elle » par « elles ».

■ Dictée (7 points)

Sylvie Germain
« Le chineur de merveilles », dans *Pour Sol en Si*
Gallimard, collection « Pages blanches », 1997

Ce n'était pas une cité de misère, non. Juste un quartier sans passé, dénué de charme, de fantaisie, d'animation. On l'avait planté là, à la hâte, une vingtaine d'années plus tôt, à la périphérie d'une petite ville elle-même fort assoupie. Un quartier résidentiel en toc, fleurant l'ennui et la fadeur.

Le petit homme chétif, aux cheveux d'un blanc jaune, clairsemés et tombant sur le col élimé d'un pardessus crasseux, affublé de lunettes dont une branche était rafistolée avec du sparadrap, était donc passé inaperçu lors de sa première visite au café « La Croix des Vents ». Le malheur fut qu'il y revint, jour après jour. Et sa présence se fit indésirable.

Écrire au tableau : sparadrap, affublé.

■ Rédaction (15 points)

Sujet
Vous avez, vous aussi, été touché(e) un jour par la générosité d'une personne. Faites-en le récit en prose.
Vous insisterez sur vos sentiments et expliquerez pourquoi cette générosité vous a particulièrement ému(e).

Critères de réussite
– *Emploi de la première personne ;*
– *Temps employés et mots de liaison en rapport avec la situation d'énonciation ;*
– *Expression des sentiments ;*
– *Explication développée ;*
– *Richesse du vocabulaire ;*
– *Construction correcte des phrases ;*
– *Au-delà de dix erreurs, l'orthographe sera pénalisée.*

Découvrir le sujet

▶ Les questions

Grammaire

- Expansions du nom.
- Nature et fonction.
- Référent de « on ».
- Syntaxe.
- Temps et modes verbaux.
- Valeurs des temps verbaux.

Vocabulaire

- Formation de mots.
- Registre de langue.
- Relevés justificatifs.
- Sens de mots ou d'expressions.
- Synonyme.

Écriture

- Figure de style.
- Hypothèses de lecture.
- Métrique.

▶ La rédaction

• Lisez les Points clés 1 et 6.

• N'oubliez pas d'analyser ce que vous avez ressenti devant ce geste de générosité.

D'après André Gide
Les Nourritures terrestres
1897

Ronde des livres

Il y a des livres qu'on lit, assis sur une petite planchette,
Devant un pupitre d'écolier.

Il y a des livres qu'on lit en marche
(Et c'est aussi à cause de leur format) :
5 Tels sont pour les forêts, tels pour d'autres campagnes…
Il y en a que je lus en diligence ;
D'autres, couché au fond des greniers à foin…

Il y en a que l'on ne saurait admettre
Que dans les bibliothèques privées.
10 Il y en a qui ont reçu les éloges
De beaucoup de *critiques autorisés*.

Il y en a où il n'est question que d'apiculture
Et que certains trouvent un peu spéciaux ;
D'autres où il est tellement question de la nature
15 Qu'après ce n'est plus la peine de se promener…

Il y en a qui sèment la haine
Et qui récoltent ce qu'ils ont semé
Il y en a qu'on chérit comme des frères
Plus purs et qui ont vécu mieux que nous.
20 Il y en a dans d'extraordinaires écritures
Et qu'on ne comprend pas, même quand on les a beaucoup étudiés.

Il y en a qui ne valent pas quatre sous,
D'autres qui valent des prix considérables.
Il y en a qui parlent de rois et de reines,
25 Et d'autres, de très pauvres gens.
Il y en a dont les paroles sont plus douces
Que le bruit des feuilles à midi…

■ Questions (15 points)

▶ **1.** À quel genre littéraire ce texte appartient-il ? Justifiez. *(2 points)*

▶ **2.** Recopiez trois types de livres énumérés dans ce texte.
À quels genres d'ouvrages connus font-ils référence ? *(3 points)*

▶ **3.** Qui parle dans ce texte ? Est-il présent ? Justifiez. *(1,5 point)*

▶ **4.** Quel est l'effet recherché par la répétition « il y en a » ? *(2 points)*

▶ **5.** Quel est le temps dominant dans le texte ? Relevez-en trois exemples
et justifiez cet emploi. *(1,5 point)*

▶ **6.** Dites quelle est la nature de « on », qui est souvent présent dans le
texte (on lit… on appelle…). Qui remplace-t-il ? *(1 point)*

▶ **7.** Sur quelles oppositions sont construits les vers 22 à 25 ? Pourquoi
l'auteur utilise-t-il ces oppositions ? *(2 points)*

▶ **8.** En quoi les livres ressemblent-ils aux hommes ? Justifiez le choix du
titre : « Ronde des livres ». *(2 points)*

■ Réécriture (5 points)

Réécrivez les vers 16 à 23 aux temps du passé, en commençant par « Il y
en avait ». Soulignez toutes les transformations.

■ Dictée (5 points)

Annie Ernaux
La Place
Gallimard, 1986

Mon père manquait la classe, à cause des pommes à ramasser, du foin,
de la paille à botteler, de tout ce qui se sème et se récolte. Quand il revenait
à l'école, avec son frère aîné, le maître hurlait : « Vos parents veulent donc
que vous soyez misérables comme eux ! » Il a réussi à savoir lire et écrire
sans faute.

■ Rédactions aux choix (15 points)

Sujet 1 (sujet d'imagination)

Imaginez, dans une scène de la vie courante, les problèmes rencontrés par une personne dans l'incapacité totale de lire.

Sujet 2 (sujet de réflexion)

Vous aimez lire un type de livres (bandes dessinées, romans, récits d'aventures, revues spécialisées…). Dites pourquoi en donnant au moins deux arguments que vous illustrerez par des exemples.

Découvrir le sujet

▶ Les questions

Grammaire
- Nature et fonction.
- Référent de « on ».
- Temps et modes verbaux.
- Valeurs des temps verbaux.

Vocabulaire
- Relevés justificatifs.
- Sens de mots ou d'expressions.

Écriture
- Figure de style.
- Genre du texte.
- Hypothèses de lecture.
- Indices de présence du narrateur.

▶ Les rédactions

Sujet 1
- Lisez le Point clé 1 : « Écrire un récit ».

Sujet 2
- Lisez le Point clé 6 : « Écrire un passage argumentatif ».
- Le sujet vous propose des types de livres très différents. N'hésitez pas à exprimer vos goûts réels.

Déwé Gorodé
Dire le vrai
Éditions Grain de sable, 1999

Trier les mots
au fil de l'eau
au dos d'un galet
au rond d'une pierre
5 au bord d'une paupière
au gué d'une rivière
au grelot d'un sanglot
Saisir le sens
au son d'une consonne
10 aux voix d'une voyelle
au pas d'une virgule
au non d'un hiatus
au clos d'une parenthèse
au final d'un point
15 Tailler l'idée
au fil du temps
au gré des ans
au vent de l'océan
au ciel d'enfance
20 aux portes de la mémoire
au seuil du néant
Trier les mots
à demi-mot
ou en porte-à-faux
25 de la brisure
à la démesure
Saisir le sens
à mots ouverts
ou au figuré
30 de la césure
à la cassure

Tailler l'idée
à la pointe du jour
ou au plus noir de la nuit
35 de la blessure
à la rupture
vivre l'écriture
en guenilles
ou en nu-pieds
40 vivre l'écriture
au pied du mur
et en terre étrangère
hors de moi
ou en outsider
45 dans cette langue
qui n'est pas mienne

Trier les mots
à n'en plus finir
Saisir le sens
50 à s'écrire
Tailler l'idée
à en mourir

au nom de ce qui est
et de ce qui n'est pas
55 ou des miens qui ne sont plus
au nom de ceux qui sont
au bord
d'un pays à naître
au rire des enfants
60 à venir

■ Questions (15 points)

I. JOUER AVEC LES MOTS   4 POINTS

▶ **1.** Montrez que ce poème appartient à la poésie moderne. *(1 point)*

▶ **2.** Quels sont les procédés qui donnent du rythme au poème ? *(2 points)*

▶ **3.** Relevez deux mots à la rime inattendue. *(1 point)*

II. DIRE LE VRAI   4 POINTS

▶ **4.** Relevez la présence de l'énonciatrice à l'intérieur du poème. *(1 point)*

▶ **5.** Dans la première strophe, relevez les éléments concrets qui inspirent le poète. *(1 point)*

▶ **6.** Des vers 15 à 21, relevez le champ lexical de l'expérience. *(1 point)*

▶ **7.** Dans les vers 7 à 55, montrez que cette expérience a pu être douloureuse, en citant des mots précis. *(1 point)*

III. INVENTER UN MONDE   7 POINTS

▶ **8.** En quoi l'acte d'écrire est-il difficile pour l'énonciatrice ? Observez par exemple les mots à la rime des vers 30-31 et 35-36. Pour justifier votre réponse, relevez d'autres mots qui rejoignent ce champ lexical. *(2 points)*

▶ **9.** Aux vers 15, 32, 51 est employé le verbe « tailler » : à quel autre art est comparée la poésie ? *(1 point)*

▶ **10. a)** Relevez les mots qui commencent par une majuscule. *(0,5 point)*
b) À quel mode sont-ils conjugués ? Pourquoi ? *(1,5 point)*

▶ **11.** Montrez que la dernière strophe envoie un message d'espoir. *(2 points)*

■ Réécriture (5 points)

▶ **1.** Réécrivez les vers 1, 8, 15 et 40 en conjuguant les verbes à la 2ᵉ personne du singulier du futur simple. *(3 points)*

▶ **2.** Réécrivez les vers 1, 8, 15 et 40 en conjuguant les verbes à la 2ᵉ personne du singulier de l'impératif. *(2 points)*

■ Dictée (5 points)

Thierry Deransart
« L'Épitaphe aux tortues » dans *En d'autres temps d'autres lieux*
Éditions SCI-FI club, 1994

Une légende, c'est-à-dire une histoire vraie qui parvient à franchir le cap de deux générations, une légende raconte que lorsqu'un bébé sort du ventre de sa mère, et qu'il s'apprête à pousser son premier cri, il possède toute la connaissance du monde, accumulée depuis la nuit des temps et jusqu'à la fin de l'univers. Tout ce savoir réside en un grand secret, où il est condensé. Or, au moment précis où le nouveau-né veut hurler ce grand secret à la face du monde, un ange passe et lui pose délicatement un doigt sur les lèvres, pour lui dire : chut ! et lui intimer de se taire.

■ Rédaction (15 points)

Sujet
« Trier les mots… »
À partir de dix mots de la langue française que vous aimez tout particulièrement, composez un poème libre (de deux pages) à la manière de Déwé Gorodé, qui évoquerait, selon vous, « un pays à naître ».

Consignes
Vous veillerez tout particulièrement à la correction de la langue et à la qualité de l'expression. Il sera tenu compte de la musicalité et de la créativité.

Découvrir le sujet

▶ **Les questions**
Grammaire
– Temps et modes verbaux.

Vocabulaire
– Champ lexical.
– Relevés justificatifs.
– Sens de mots ou d'expressions.

Écriture
- Figures de style.
- Genre du texte.
- Hypothèses de lecture.
- Indices de présence du narrateur.
- Métrique.

▶ **La rédaction**

• Réfléchissez aux caractéristiques de l'écriture poétique en pensant aux réponses que vous avez données aux questions.

Victor Hugo
« Vieille chanson du jeune temps », dans *Les Contemplations*
1831

Je ne songeais[1]pas à Rose ;
Rose au bois vint avec moi ;
Nous parlions de quelque chose,
Mais je ne sais plus de quoi.

5 J'étais froid comme les marbres ;
Je marchais à pas distraits ;
Je parlais des fleurs, des arbres ;
Son œil semblait dire : « Après ? »

La rosée offrait ses perles,
10 Le taillis ses parasols ;
J'allais ; j'écoutais les merles,
Et Rose les rossignols.

Moi, seize ans, et l'air morose.
Elle vingt ; ses yeux brillaient.
15 Les rossignols chantaient Rose
Et les merles me sifflaient.

Rose, droite sur ses hanches,
Leva son beau bras tremblant
Pour prendre une mûre aux branches ;
20 Je ne vis pas son bras blanc.

Une eau courait, fraîche et creuse,
Sur les mousses de velours ;
Et la nature amoureuse
Dormait dans les grands bois sourds.

25 Rose défit sa chaussure,
Et mit, d'un air ingénu[2],
Son petit pied dans l'eau pure ;
Je ne vis pas son pied nu.

Je ne savais que lui dire ;
30 Je la suivais dans le bois,
La voyant parfois sourire
Et soupirer quelquefois.

Je ne vis qu'elle était belle
Qu'en sortant des grands bois sourds.
35 « Soit ; n'y pensons plus ! » dit-elle.
Depuis, j'y pense toujours.

_____

1. Songer : signifie ici « avoir des vues sur quelqu'un ».
2. Ingénu : innocent, sans malice.

■ Questions (15 points)

I. UNE PROMENADE   8,5 POINTS

▶ **1.** Dans quel lieu se trouvent les personnages ? *(0,5 point)*

▶ **2.** Ce récit est-il écrit en prose ou en vers ? Justifiez votre réponse en vous appuyant sur des exemples précis. *(1 point)*

▶ **3.** Vers 20 à 24 :
a) Quels temps verbaux sont employés ? Relevez un exemple pour chacun d'eux. *(1 point)*
b) Justifiez l'emploi de ces temps verbaux. *(1 point)*

▶ **4.** La nature vous semble-t-elle accueillante ? Expliquez votre réponse en citant le texte. *(1 point)*

▶ **5.** « la nature amoureuse » (vers 23).
a) Quelle est la figure de style employée ? *(0,5 point)*
b) Comment expliquez-vous que la nature soit « amoureuse » ? *(0,5 point)*

▶ **6.** Quelles sont les deux sensations différentes évoquées par le poète (auditives, olfactives, gustatives, visuelles, tactiles) ? Pour chacune d'entre elles, donnez en exemple un mot du texte. *(1 point)*

▶ **7.** Quelle est l'attitude du jeune homme à l'égard de Rose ? *(0,5 point)*

▶ **8.** Quel est l'âge des deux personnages ? Que peut-on en déduire ? *(0,5 point)*

▶ **9.** Selon vous, Rose et le poète ressentent-ils les mêmes émotions ? Vous développerez votre réponse en vous aidant du texte. *(1 point)*

II. L'ÉVOCATION D'UN SOUVENIR   **6,5 POINTS**

▶ **10.** « Depuis, j'y pense toujours » (vers 36).
a) À quel temps et quel mode le verbe est-il conjugué ? *(0,5 point)*
b) À quel moment se rapporte-t-il ? *(0,5 point)*
c) Quelle est la valeur de ce temps ? *(0,5 point)*

▶ **11.** Que pouvez-vous en déduire sur l'état d'esprit du poète au moment de l'écriture ? Est-il plutôt :
Triste ? Nostalgique ? Joyeux ?
Vous expliquerez votre réponse. *(1 point)*

▶ **12.** Au vers 35 :
a) Remplacez « y » par une expression qui pourrait convenir dans ce contexte. *(0,5 point)*.
b) Quelle est la nature du mot « y » ? *(0,5 point)*

▶ **13.** « Vieille chanson du jeune temps » :
a) Quelle est la figure de style employée ici ? *(0,5 point)*
b) Ce titre vous semble-t-il se rapporter au contenu du texte ?
Expliquez votre réponse. *(0,5 point)*

▶ **14.** Relevez dans le texte deux groupes verbaux (« je » + verbe) dans lesquels le poète fait référence à deux moments différents de son existence. *(1 point)*

▶ **15.** Le poète se souvient-il de la scène avec exactitude ? Justifiez votre réponse en vous appuyant sur des éléments du texte. *(1 point)*

■ Réécriture (5 points)

Vous réécrirez le passage suivant en remplaçant « Rose » par « Cécile et Rose », et « je » par « nous »
Vous effectuerez toutes les transformations nécessaires et veillerez à ne pas faire de fautes de copie.

« Rose défit sa chaussure,
Et mit, d'un air ingénu,
Son petit pied dans l'eau pure ;
Je ne vis pas son pied nu.
Je ne savais que lui dire » (vers 25 à 29).

■ Dictée (5 points)

Alain-Fournier
Le Grand Meaulnes
1913

Découragé, presque à bout de forces, il résolut, dans son désespoir, de suivre ce sentier jusqu'au bout.

À cent pas de là, il débouchait dans une grande prairie grise, où l'on distinguait de loin en loin des ombres qui devaient être des genévriers, et une bâtisse obscure dans un repli de terrain. Meaulnes s'en approcha.

Écrire au tableau : genévriers, Meaulnes.

■ Rédaction (15 points)

Sujet
Racontez comment vous avez rencontré une personne qui compte ou qui a compté particulièrement pour vous, en insérant dans votre devoir un court dialogue qui rende le récit plus vivant ainsi qu'une brève description des lieux.
Vous direz comment, avec le temps, vos sentiments ont évolué.

Consignes
Votre texte comportera environ vingt-cinq lignes.
Il sera tenu compte dans l'évaluation de la correction de la langue.

Découvrir le sujet

▶ Les questions
Grammaire
– Nature et fonction.
– Référent d'un pronom.
– Temps et modes verbaux.
– Valeurs des temps verbaux.

Vocabulaire
– Relevés justificatifs.
– Sens de mots ou d'expressions.

Écriture

- Figure de style.
- Genre du texte.
- Hypothèses de lecture.
- Indices de lieu.
- Indices de présence du narrateur.
- Indices de temps.
- Métrique.

▶ **La rédaction**

- Lisez les Points clés 1, 3 et 4.
- Trois formes de discours vous sont demandées. Repérez-les en relisant le sujet posé.

Jacques Réda
L'Incorrigible, poésies itinérantes et familières (1988-1992)
Gallimard

Le colloque[1]

Dans le jardin tout encombré de briques et d'échelles,
Deux ouvriers sénégalais coupent au chalumeau
Des tiges de ferraille, et de gros bouquets d'étincelles
Montent s'épanouir jusqu'à hauteur de mon carreau.

5 Mais à midi, repos : ils s'installent sur la terrasse
Pour déjeuner à l'aise avec un maçon algérien
Moustachu comme un paysan du Cantal ou d'Alsace,
Et le chef de chantier rieur à l'accent faubourien[2].

Comment peut-il mener et comprendre ses camarades ?
10 Chacun parle un français volubile[3] de sa façon
Sans attendre son tour : c'est un contrepoint de tirades[4]
Dont le sens se dissout dans le ruissellement du son.

Mais comme des oiseaux, à la longue je m'en arrange
Et je crois deviner que ces débats exubérants[5]
15 Ont pour inépuisable fond la différence étrange
Entre les noms que chacun donne à des objets courants.

La table, l'eau, le sel, le couteau, le pain et sa mie,
La pomme : tout y passe et, glosant[6] à n'en plus finir,
Ils font sous ma fenêtre une petite académie[7]
20 Où s'ébauche[8] peut-être une langue de l'avenir.

---

1. Colloque : débat entre plusieurs personnes sur un sujet sérieux. 2. Accent faubourien : accent populaire parisien. 3. Volubile : qui parle ou qui est parlé en abondance, avec rapidité. 4. Contrepoint de tirades : discussions qui s'entrecroisent. 5. Débats exubérants : conversations vives et animées. 6. Glosant : en faisant des commentaires détaillés. 7. Académie : une société de gens savants. 8. S'ébauche : se construit.

■ Questions (15 points)

I. LE TEXTE ET SON ORGANISATION   3 POINTS

▶ **1.** À quel genre littéraire ce texte appartient-il ? Justifiez votre réponse. *(1 point)*

▶ **2.** Sur le modèle suivant : « Dans/le/jar/din/tout/t en/com/bré/de/bri/que/s et/d'é/chelles », recopiez le vers 17 en le décomposant en quatorze syllabes. *(0,5 point)*

▶ **3.** L'organisation du récit.
Donnez un titre aux trois parties du texte : strophe 1, strophes 2 et 3, strophes 4 et 5. *(1,5 point)*

II. L'OBSERVATEUR ET LES ACTEURS   5 POINTS

▶ **4. a)** Relevez deux marques de nature différente de la présence du locuteur dans le texte. *(1 point)*
b) D'où observe-t-il la scène ? Justifiez votre réponse. *(1 point)*

▶ **5.** D'où les ouvriers sont-ils originaires ? Pourquoi ces précisions sont-elles importantes ? *(1 point)*

▶ **6. a)** « tout » (vers 1) et « tout » (vers 18) : comparez les deux mots (nature, fonction). *(1 point)*
b) Relevez deux éléments dans le texte qui rappellent le mythe de la tour de Babel. *(1 point)*

III. LE COLLOQUE   7 POINTS

▶ **7.** Comment le mot « inépuisable » (vers 15) est-il formé ? Donnez un autre mot formé de la même manière. *(1 point)*

▶ **8.** Vers 9 et 10 :
a) À partir des deux indépendantes, construisez une phrase complexe. *(1 point)*
b) Quelle est la relation logique qui unit les deux propositions ? *(0,5 point)*

▶ **9.** « le ruissellement du son » (vers 12).
a) Nommez et expliquez l'image. *(0,5 point × 2)*
b) Comment l'image est-elle renforcée par les sonorités ? *(0,5 point)*

▶ **10.** Pourquoi l'auteur fait-il référence aux oiseaux ? *(1 point)*

▶ **11.** Quel est le sujet de ce colloque ? *(1 point)*

▶ **12.** Comment comprenez-vous dans le texte l'expression « langue de l'avenir » (vers 20) ? *(1 point)*

■ Réécriture (4 points)

Réécrivez au passé les strophes 4 et 5.
Le vers 13 commencera ainsi : « Mais comme des oiseaux,
à la longue je m'en suis arrangé
Et.........»
Continuez jusqu'au vers 20 en apportant toutes les modifications qui s'imposent ; la longueur des vers ne sera pas respectée.
Toute erreur de copie sera sanctionnée.

■ Dictée (6 points)

Michèle Kanh
« Du jardin de l'Eden à la Terre promise », dans *Contes et légendes de la Bible*
Pocket Jeunesse, 1994

Quand la tour devint si haute que, de son sommet, les arbres paraissaient n'être que des brins d'herbe, les bâtisseurs s'aperçurent qu'ils manquaient de pierres. Il fallut alors cuire des briques.
À l'est fut construit un escalier que les porteurs de briques escaladèrent d'un pas prudent, en une interminable procession. À peine avaient-ils déposé leur précieux fardeau qu'ils dévalaient à toutes jambes l'escalier situé à l'ouest de la tour.
Les hommes se donnaient entièrement à la tour. Ils ne pensaient qu'à elle, ne vivaient que pour elle, l'aimaient comme une fiancée.

■ Rédaction (15 points)

À la suite de votre lecture du poème « Le colloque », vous écrivez à M. Jacques Réda pour lui dire que vous partagez son « intérêt pour le langage ».

Vous lui présentez d'abord quelques régionalismes que vous connaissez, particularités du lexique de Nouvelle-Calédonie par exemple, pour élargir ses connaissances.

Ensuite, vous faites le récit d'une expérience au cours de laquelle vous avez comparé les différentes façons de parler (nommer des objets, se saluer…) ou de se comporter dans la vie quotidienne dans une autre culture que la vôtre. Vous ne signerez pas votre lettre.

Découvrir le sujet

▶ Les questions

Grammaire
- Nature et fonction.
- Rapport logique.
- Syntaxe.
- Valeur d'un temps verbal.

Vocabulaire
- Formation d'un mot.
- Relevés justificatifs.
- Sens de mots ou d'expressions.

Écriture
- Figure de style.
- Genre du texte.
- Hypothèses de lecture.
- Indices de présence du narrateur.
- Métrique.
- Situation de communication.

▶ La rédaction

• Pour rédiger votre lettre, lisez le Point clé 5 : « Écrire une lettre ».

• Cherchez des exemples précis d'expressions avant de commencer à écrire.

Arthur Rimbaud

Poésies
1870

Le buffet

C'est un large buffet sculpté, le chêne sombre,
Très vieux, a prix cet air si bon des vieilles gens ;
Le buffet est ouvert, et verse dans son ombre
Comme un flot de vin vieux, des parfums engageants ;

5 Tout plein, c'est un fouillis de vieilles vieilleries,
De linges odorants et jaunes, de chiffons
De femmes ou d'enfants, de dentelles flétries,
De fichus de grand-mère où sont peints des griffons[1] ;

– C'est là qu'on trouverait les médaillons, les mèches
10 De cheveux blancs ou blonds, les portraits, les fleurs sèches
Dont le parfum se mêle à des parfums de fruits.

– Ô buffet du vieux temps, tu sais bien des histoires,
Et tu voudrais conter tes contes, et tu bruis
Quand s'ouvrent lentement tes grandes portes noires.

---

1. Griffon : animal fantastique ailé, à corps de lion et tête d'oiseau.

■ Questions (15 points)

I. LE BUFFET   4,5 POINTS

▶ **1.** À quel genre littéraire ce texte appartient-il ? *(0,5 point)*
Justifiez votre réponse à l'aide de trois critères. *(0,5 point)*

▶ **2.** Quelles sont les caractéristiques visuelles du buffet dans les deux premiers vers ? *(1 point)*

▶ **3.** Quel adjectif est répété dans le premier quatrain (vers 1 à 4) ? Ce mot a-t-il ici une valeur négative ? Justifiez votre réponse. *(1 point)*

▶ **4.** Expliquez le sens de l'adjectif « engageants », au vers 4, en prenant en compte l'ensemble des sensations évoquées dans le texte. Vous les nommerez et les illustrerez d'exemples extraits du poème. *(1,5 point)*

II. UN CONTENU ÉVOCATEUR   6 POINTS

▶ **5.** Donnez un titre qui évoque avec précision le contenu du buffet dans le second quatrain (vers 5 à 8). *(0,5 point)*

▶ **6. a)** Dans le second quatrain, relevez trois expansions du nom de natures grammaticales différentes en précisant bien à chaque fois quel nom elles complètent. *(1,5 point)*
b) Quel effet l'accumulation de ces expansions produit-elle ? *(0,5 point)*

▶ **7.** « c'est un fouillis… » vers 5 : justifiez le choix de ce terme en vous appuyant sur le vocabulaire, la construction de la phrase, les figures de style (vers 1 à 11). *(1,5 point)*

▶ **8.** Quels sont les points communs entre les « vieilles vieilleries » (vers 5) et les objets cités dans le premier tercet (vers 9 à 11) ? Vous développerez votre réponse. *(2 points)*

III. LA PRÉSENCE DU POÈTE   4,5 POINTS

▶ **9.** Dans quel tercet la présence du poète se manifeste-t-elle ? Justifiez votre réponse. *(1 point)*

▶ **10.** Dans le second tercet (vers 12 à 14) :
a) Quel pouvoir l'auteur attribue-t-il au buffet ? *(0,5 point)*
b) Au vers 13, identifiez la forme verbale « voudrais » et commentez-la par rapport aux formes verbales au présent de l'indicatif des vers 12 à 14. *(1 point)*

▶ **11.** Dans ce poème, Arthur Rimbaud s'est-il limité à la simple description d'un vieil objet ?
Justifiez votre réponse en vous appuyant sur vos réponses précédentes. *(2 points)*

■ Réécriture (4 points)

Réécrivez les trois derniers vers du poème en commençant par :
« – Ô buffets… ».
Vous ferez toutes les transformations nécessaires.

■ Dictée (6 points)

Charles Baudelaire
Le Spleen de Paris
1869

Le port

Un port est un séjour charmant pour une âme fatiguée des luttes de la vie. L'ampleur du ciel, l'architecture mobile des nuages, les colorations changeantes de la mer, le scintillement des phares, sont un prisme merveilleusement propre à amuser les yeux sans jamais les lasser. Les formes élancées des navires [...] servent à entretenir dans l'âme le goût du rythme et de la beauté. Et puis, surtout, il y a une sorte de plaisir mystérieux et aristocratique pour celui qui n'a plus ni curiosité ni ambition, à contempler, couché dans le belvédère ou accoudé sur le môle, tous ces mouvements de ceux qui partent et de ceux qui reviennent, de ceux qui ont encore la force de vouloir, le désir de voyager ou de s'enrichir.

Écrire au tableau : môle.

■ Rédaction (15 points)

Sujet

Vous retrouverez un objet qui vous a appartenu et auquel vous étiez attaché.

Le lendemain, au cours d'un dialogue avec l'un de vos proches, vous décrirez l'objet et racontez les circonstances de sa découverte.

Les interrogations de votre interlocuteur vous amèneront alors à évoquer un souvenir précis se rattachant à cet objet, puis à défendre l'intérêt que vous lui portez.

Découvrir le sujet

▶ **Les questions**

Grammaire

– Expansions du nom.
– Nature et fonction.
– Syntaxe.

– Temps et modes verbaux.

– Valeurs des temps verbaux.

Vocabulaire

– Relevés justificatifs.

– Sens de mots ou d'expressions.

Écriture

– Figure de style.

– Genre du texte.

– Hypothèses de lecture.

– Indices de présence du narrateur.

▶ La rédaction

• Lisez les Points clés 1, 3 et 4.

• Votre devoir doit se présenter sous la forme d'un dialogue. Pensez à ponctuer correctement les répliques.

Pierre Cami
Le Squelette disparu
Éditions Arléa, 1992

Premier acte

Un vol fantastique

La scène représente une chambre à coucher.

L'HOMME VOLÉ, *couché dans son lit, à Loufock Holmès.* – Monsieur, en deux mots, voici l'affaire : on m'a volé cette nuit mon propre squelette.
LOUFOCK HOLMÈS. – Comment vous êtes-vous aperçu de sa disparition ?
L'HOMME VOLÉ. – Toutes les nuits, quand je rentre de m'amuser, soit à
5 Montmartre, soit ailleurs, je prends la précaution de me regarder avec un appareil à rayons X.
LOUFOCK HOLMÈS. – Pourquoi ?
L'HOMME VOLÉ. – Pour savoir si je n'ai pas dans le corps une balle de revolver ou un couteau d'apache. Les rues sont si peu sûres. Or, hier soir,
10 j'ai oublié de me regarder aux rayons X. Je me suis endormi. Mon sommeil ne fut pas de longue durée. Je me réveillai bientôt et, en me souvenant que j'avais oublié de passer mon inspection habituelle, je pris mon appareil et j'en projetai les rayons sur mon corps. Je m'aperçus avec terreur que mon squelette avait disparu. C'est pour en rechercher le voleur
15 que je vous ai fait demander.
LOUFOCK HOLMÈS. – Cette affaire est exceptionnellement mystérieuse. Je vais chez moi faire quelques déductions. Au revoir, monsieur.

Deuxième acte

Les déductions

La scène représente le cabinet de déductions de Loufock Holmès.

LOUFOCK HOLMÈS, *à son disciple.* – Comme d'habitude, pour me livrer à mes déductions, je vais me suspendre par les pieds au plafond de mon
20 cabinet de travail.

200

LE DISCIPLE. – Pourquoi, maître, prenez-vous cette position singulière ?
Cela m'a toujours intrigué.

LOUFOCK HOLMÈS. – En me suspendant la tête en bas, tout mon sang
afflue au cerveau et lui donne l'activité et la force nécessaires pour résou-
25 dre mes mystérieux problèmes. *(Il se suspend par les pieds à un appareil spé-
cial posé au plafond de son cabinet de déductions.)*

LE DISCIPLE. – Maître, vous cherchez aujourd'hui à percer le mystère du
squelette volé ?

LOUFOCK HOLMÈS. – Oui, mais je ne crois pas à un vol.

30 LE DISCIPLE. – Pourquoi, maître ?

LOUFOCK HOLMÈS. – Logiquement, personne n'a intérêt à voler le squelette d'une personne vivante, à moins que cette personne ne soit un phénomène anatomique. Dans ce cas-là seulement le voleur pourrait gagner
quelque argent en revendant le squelette volé au muséum. Tel n'est pas
35 le cas, puisque la personne volée n'est pas un phénomène. Le vol étant
sans intérêt, j'en déduis qu'il n'a aucune raison d'être et que, logiquement, il n'existe pas.

■ Questions (15 points)

I. LE GENRE   3,5 POINTS

▶ **1.** À quel genre appartient ce texte ? Justifiez votre réponse au moyen
de deux indices minimum. *(1 point)*

▶ **2.** Quels sont les personnages et quel est leur rôle respectif ? *(1,5 point)*

▶ **3.** Dans quels lieux l'action se déroule-t-elle ? Comment appelle-t-on
les phrases en italique ? *(1 point)*

II. L'ENQUÊTE   6,5 POINTS

▶ **4.** Quel est le problème de la victime ? *(0,5 point)*

▶ **5.** Quels sont les types de phrases majoritairement employés par Holmès dans l'Acte I, puis dans l'Acte II ? Justifiez l'emploi de ces types de
phrases. *(2 points)*

201

▶ **6.** « …en me souvenant que j'avais oublié de passer mon inspection habituelle, je pris mon appareil » (lignes 11 à 13).

a) De quelle inspection s'agit-il ? *(0,5 point)*

b) Relevez les verbes conjugués. Précisez leurs temps et leurs valeurs d'emploi. *(1 point)*

▶ **7. a)** À quel type de discours appartient la réponse de Loufock Holmès (lignes 31 à 37) ? Justifiez votre réponse à l'aide de trois indices différents. *(2 points)*

b) Quelle est la thèse de Loufock Holmès concernant le vol du squelette ? *(0,5 point)*

III. VOL THÉÂTRAL   5 POINTS

▶ **8.** Quelles remarques pouvez-vous faire sur le nom et le prénom de Loufock Holmès ? *(1 point)*

▶ **9. a)** Quelle position adopte Loufock Holmès pour se livrer à ses déductions ? *(0,5 point)*

b) Le disciple trouve cette position « singulière » (ligne 21). Donnez la classe grammaticale de « singulière » ainsi que la signification de ce mot. *(1 point)*

▶ **10.** Dans les répliques du disciple, quel procédé comique pouvez-vous repérer ? *(1 point)*

▶ **11.** À quel genre de pièce de théâtre rattachez-vous cet extrait ? Justifiez votre réponse. *(1,5 point)*

■ Réécriture (4 points)

▶ **1.** Réécrivez la phrase « Cette affaire est exceptionnellement mystérieuse » (ligne 16) en remplaçant le singulier par le pluriel. *(2 points)*

▶ **2.** Réécrivez le passage suivant : « Or, hier soir, j'ai oublié de me regarder aux rayons X. Je me suis endormi. Mon sommeil ne fut pas de longue durée » (lignes 9 à 11) en remplaçant la première personne du singulier par la troisième personne du singulier, au masculin. *(2 points)*

■ Dictée (6 points)

Thierry Jonquet
Nadine
Éditions Nathan, 2000

Une rencontre

Comment Loïc et Nadine firent-ils connaissance ? À cause du hasard. Un soir qu'il traversait le parc pour rentrer chez lui, Loïc glissa sur une flaque de boue, faillit s'y étaler de tout son long et rattrapa à grand-peine son équilibre en battant des bras. Le sac qu'il portait sous son bras, connut, lui, un destin plus funeste… En chutant à terre, il s'ouvrit et le classeur de maths fut maculé de boue. Nadine l'observait, assise sur son banc, entourée de pigeons. Loïc enrageait. Il vint s'asseoir pour mieux évaluer l'étendue des dégâts. Le dernier devoir, celui qu'il devait rendre le lendemain, n'était plus qu'un chiffon. Il fallait le recopier de A à Z. Et pire encore : l'encre s'était diluée, les formules algébriques s'étaient effacées.

Écrire au tableau : Loïc, Nadine.

■ Rédaction (15 points)

Imaginez, sous la forme d'un récit rédigé aux temps du passé, comment Loufock Holmès va percer le mystère du squelette disparu et comment il va livrer ses déductions à l'homme volé.

Votre rédaction comportera obligatoirement un passage explicatif ou argumentatif, ainsi qu'un dialogue.

Découvrir le sujet

▶ **Les questions**

Grammaire

– Nature et fonction.
– Temps et modes verbaux.
– Types de phrases.
– Valeurs des temps verbaux.

Vocabulaire

– Registre de langue.

– Relevés justificatifs.

– Sens de mots ou d'expressions.

Écriture

– Formes de discours.

– Genre du texte.

– Hypothèses de lecture.

– Indices de lieu.

– Tonalité du texte.

▶ **La rédaction**

• Lisez le Point clé 6.

• Vous devez combiner deux formes de discours puisque Loufock Holmès doit à la fois raconter et expliquer ses méthodes.

CORRIGÉ

38

BESANÇON, DIJON, GRENOBLE, LYON, NANCY-METZ, REIMS, STRASBOURG • SÉRIES TECHNOLOGIQUE ET PROFESSIONNELLE • SEPTEMBRE 2005

Georges Michel
La Promenade du dimanche
Gallimard, 1967

LE GRAND-PÈRE. – Le véritable orphelin, dit un proverbe turc, est celui qui n'a pas reçu d'éducation…

LE PÈRE, *au Fils.* – Si tu te tiens droit, si tu ne mets pas les doigts dans ton nez, si tu remontes tes chaussettes *(Le Fils se baisse et remonte ses chaus-*
5 *settes.),* si tu dis s'il vous plaît quand il faut, si tu ne fais pas de bruit en mangeant, si tu mets la main devant ta bouche lorsque tu bâilles, si tu fais attention en traversant la rue, si tu ne réponds pas à ton père, tu ne seras pas un orphelin, mon fils…

LA MÈRE, *ton dramatique.* – Orphelin, mon fils… mon enfant… dire
10 qu'on le mettra dans un cercueil lui aussi… je ne peux pas penser à des choses comme ça… heureusement nous ne serons plus là pour voir ça… je ne pourrais y survivre…

LE FILS. – Je m'ennuie…

LA MÈRE. – Eh bien, joue un peu…

15 *Le Fils, devant les parents, sautille d'une jambe sur l'autre.*

LE FILS, *s'arrêtant.* – Je m'ennuie encore…

LE PÈRE, *s'énervant.* – Je ne comprends pas ça, moi…

LA MÈRE, *très douce.* – Tu n'es pas mieux, là, avec ton papa, ta maman, ton pépé, ta mémé, ton tonton, ta tata *(Elle se retourne.),* à te promener
20 bien sagement, qu'à écouter des cha-cha-cha, des rocks, des twists, des madisons dans le juke-box du café du coin, ou à chahuter avec des petites chaînes de vélo et des petits coups de poing américains, en jetant des épi-thètes malsonnantes ?…

LE PÈRE. – Il faut tout de même que tu apprennes à sacrifier quel-
25 ques-uns de tes plaisirs à ceux qui se sont dévoués corps et âme pour toi… pour ton bien, pour que tu arrives, pour que tu réussisses, pour que tu deviennes quelqu'un… et qu'un jour, quand nous serons vieux, tu sub-viennes à nos besoins…

LA MÈRE et LA GRAND-MÈRE. – Mon pauvre ami…

30 *Le Grand-père tousse.*

LE PÈRE. – Je ne compte pas beaucoup là-dessus, mais il n'est pas interdit d'espérer…

LA MÈRE, *au Fils.* – Tu pourrais répondre à ton père…

LE FILS. – Oui, m'man…

35 *Silence.*

LA MÈRE. – Bah, réponds.

LE FILS. – Qu'est-ce que tu veux que je réponde ?

LA MÈRE. – Tu pourrais dire quelque chose à ton père… qui s'est sacrifié…

40 LE FILS, *cherchant.* – Il n'est pas interdit d'espérer…

LA MÈRE. – C'est ce qu'il a dit… c'est tout ce que tu trouves à dire ? Tu ne vas pas répéter ce que dit ton père tout de même, ce serait trop facile… Je me demande ce que l'on t'apprend à l'école… *(Essayant un ton plus convaincant.)* ton père qui travaille pour toi, qui attrape des cheveux 45 blancs pour toi, qui fait des heures supplémentaires pour toi, qui se fait disputer par son patron pour toi, qui s'escrime pour que tu arrives, pour que tu réussisses *(Elle cherche.)*, qui se prive de plaisirs pour te donner davantage… qui…

LE FILS. – Je lui ai pas demandé de me mettre au monde…

50 LA MÈRE. – Quelle ingratitude… après tout ce que nous avons fait pour lui…

LE PÈRE, *au Fils.* – Mais petit misérable si je ne t'avais pas mis au monde tu n'aurais pas eu…

(Il cherche.) tu ne pourrais pas… tu ne serais pas… tu n'arriverais pas…

55 LE FILS. – Je me serais fait une raison.

■ Questions (15 points)

▶ **1.** Ce texte appartient au genre théâtral. Donnez deux indices qui le montrent. *(1 point)*

▶ **2. a)** Citez les personnages présents sur scène. *(1 point)*
b) Quel lien les unit ? *(0,5 point)*

▶ **3. a)** Quel personnage est au centre de la discussion ? *(1 point)*
b) Un sujet, qui concerne ce personnage, est abordé. Lequel ? *(1 point)*

▶ **4. a)** « Orphelin, mon fils… » (ligne 9). Quelle définition du terme « orphelin » suggère la mère ? *(1 point)*
b) Pour le grand-père et le père, que signifie être un « véritable orphelin » (ligne 1) ? Justifiez votre réponse. *(1,5 point)*

▶ **5.** Au début du texte, le fils éprouve un sentiment d'ennui.
a) Donnez une raison qui justifie cet ennui. *(1 point)*
b) Quels plaisirs effaceraient ce sentiment ? *(1 point)*

▶ **6. a)** Quels sacrifices s'est imposé le père ? *(1 point)*
b) Dans quel but s'est-il imposé ces sacrifices ? *(1 point)*
c) Qu'espère-t-il, en retour, de la part de son fils ? *(1 point)*

▶ **7.** Dans la dernière réplique du père, quelle ponctuation domine ? Justifiez son emploi. *(2 points)*

▶ **8.** Proposez un autre titre à ce texte. *(1 point)*

■ Réécriture (5 points)

« Il faut tout de même […] pour que tu deviennes quelqu'un » (lignes 24 à 27) : réécrivez ce passage à la troisième personne du singulier.

■ Dictée (5 points)

Jean Échenoz
Je m'en vais
Éditions de Minuit, 1999

À table, il eut un peu de mal à comprendre la profession du père avant de comprendre que celui-ci n'en avait pas. Bénéficiaire d'allocations, il préférait chasser le phoque au grand air plutôt que de suer dans un petit bureau, dans une grande usine ou sur un gros bateau. La pêche elle-même, aux yeux de cet homme, n'était qu'un affreux gagne-pain : rien de tel que la chasse au phoque, seul véritable sport qui donne un vrai plaisir.

■ Rédactions au choix (15 points)

Sujet 1 (sujet d'imagination)
Imaginez un dialogue entre le fils et son meilleur ami. Le fils lui parlera de ses relations avec ses parents, avec sa famille.

Sujet 2 (sujet de réflexion)

Le grand-père pense que celui qui n'a pas reçu d'éducation est un véritable orphelin.

Pourquoi, selon vous, l'éducation est-elle importante pour un enfant ?

Quelle pourrait être, pour vous, une « véritable » éducation ?

Découvrir le sujet

▶ Les questions

Vocabulaire

– Relevés justificatifs.

– Sens de mots ou d'expressions.

Écriture

– Genre du texte.

– Hypothèses de lecture.

– Ponctuation.

▶ Les rédactions

Sujet 1

• Lisez le Point clé 3 avant de rédiger le dialogue.

Sujet 2

• Lisez le Point clé 6.

• Vous devez répondre à deux questions. Faites un paragraphe pour chaque réponse.

Marcel Pagnol

Marius, Acte II, scène 5, 1929
Copyright Pastorelly

*Fanny a dix-huit ans et Marius vingt-deux ans. Ils s'aiment. Marius a l'intention
de s'engager comme marin mais Fanny ne le sait pas.*

FANNY. – Dis-moi ton secret, et je te jure devant Dieu que personne
ne le saura jamais !…

MARIUS. – Fanny, je ne veux pas rester derrière ce comptoir toute ma
vie à rattraper la dernière goutte ou à calculer le quatrième tiers pendant
5 que les bateaux m'appellent sur la mer.

FANNY. – *(Elle pousse un soupir. Elle est presque rassurée.)* Ah bon !
C'est Piquoiseau[1] qui t'a monté la tête ?

MARIUS. – Non… Il y a longtemps que cette envie m'a pris… Bien
avant qu'il vienne… J'avais peut-être dix-sept ans… et un matin, là,
10 devant le bar, un grand voilier s'est amarré… C'était un trois-mâts franc[2]
qui apportait du bois des Antilles, du bois noir dehors et doré dedans, qui
sentait le camphre et le poivre. Il arrivait d'un archipel qui s'appelait les
Îles Sous le Vent[3]… J'ai bavardé avec les hommes de l'équipage quand ils
venaient s'asseoir ici ; ils m'ont parlé de leur pays, ils m'ont fait boire du
15 rhum de là-bas, du rhum qui était très doux et très poivré. Et puis un soir,
ils sont partis. Je suis allé sur la jetée, j'ai regardé le beau trois-mâts qui
s'en allait… Il est parti contre le soleil, il est allé aux Îles Sous le Vent…
Et c'est ce jour-là que ça m'a pris.

FANNY. – Marius, dis-moi la vérité : il y avait une femme sur ce bateau
20 et c'est elle que tu veux revoir ?

MARIUS. – Mais non ! Tu vois, tu ne peux pas comprendre.

FANNY. – Alors ce sont ces îles que tu veux connaître ?

MARIUS. – Les Îles Sous le Vent ? J'aimerais mieux ne jamais y aller
pour qu'elles restent comme je les ai faites. Mais j'ai envie d'ailleurs, voilà
25 ce qu'il faut dire. C'est une chose bête, une idée qui ne s'explique pas. J'ai
envie d'ailleurs.

FANNY. – Et c'est pour cette envie que tu veux me quitter ?

MARIUS. – Ne dis pas que « je veux », parce que ce n'est pas moi qui commande… Lorsque je vais sur la jetée, et que je regarde le bout du ciel,
30 je suis déjà de l'autre côté. Si je vois un bateau sur la mer, je le sens qui me tire comme avec une corde. Ça me serre les côtes, je ne sais plus où je suis… Toi, quand nous sommes montés sur le Pont Transbordeur, tu n'osais pas regarder en bas… Tu avais le vertige, il te semblait que tu allais tomber. Eh bien moi, quand je vois un bateau qui s'en va, je tombe vers
35 lui…

FANNY. – Ça ce n'est pas bien grave, tu sais… C'est des bêtises, des enfantillages… Ça te passera tout d'un coup…

MARIUS. – Ne le crois pas ! C'est une espèce de folie… Oui, une vraie maladie… Peut-être c'est le rhum des Îles Sous le Vent que ces matelots
40 m'ont fait boire… Peut-être qu'il y a de l'autre côté un sorcier qui m'a jeté un sort… Ça paraît bête ces choses-là, mais ça existe… Souvent, je me défends : je pense à toi, je pense à mon père… Et puis, ça siffle sur la mer, et me voilà parti ! Fanny, c'est sûr qu'un jour ou l'autre je partirai, je quitterai tout comme un imbécile… Alors, je ne peux pas me charger
45 de ton bonheur… Si je te la gâche, ta vie ?

FANNY. – Si tu ne me veux pas, c'est déjà fait.

MARIUS. – Mais non, mais non. Tu es jeune, tu m'oublieras…

---

1. Piquoiseau : ancien marin devenu mendiant qui raconte des histoires de marins.
2. Trois-mâts franc : bateau à voiles.
3. Îles Sous le Vent : archipel au sud de la Guadeloupe.

■ Questions (15 points)

I. UNE SCÈNE DE THÉÂTRE   3 POINTS

▶ **1.** Relevez au moins deux indices qui montrent qu'il s'agit d'un extrait de pièce de théâtre. *(1 point)*

▶ **2. a)** Quel personnage parle le plus dans ce passage ? *(1 point)*
b) Pourquoi ? *(1 point)*

II. LE CHOIX DE MARIUS   7 POINTS

▶ **3.** « …les bateaux m'appellent sur la mer » (ligne 5).
a) Donnez un synonyme du verbe « appellent » dans cette phrase. *(1 point)*
b) Rédigez une phrase dans laquelle le verbe « appeler » aura un autre sens. *(1 point)*

▶ **4.** « J'aimerais mieux ne jamais y aller pour qu'elles restent comme je les ai faites » (lignes 23-24).

a) Quel groupe nominal les pronoms « y », « elles » et « les » remplacent-ils ? *(1 point)*

b) À quel mode est conjugué le verbe « aimerais » ? *(1 point)*
Justifiez son emploi. *(1 point)*

▶ **5.** Expliquez ce que Marius entend par la phrase « j'ai envie d'ailleurs » à la ligne 24. *(2 points)*

III. LES RÉACTIONS DE FANNY   5 POINTS

▶ **6.** Fanny donne plusieurs explications à l'envie de partir de Marius. Citez-en trois (lignes 6 à 37). *(3 points)*

▶ **7.** Expliquez la dernière réplique de Fanny : « Si tu ne me veux pas, c'est déjà fait » (ligne 46). *(2 points)*

■ Réécriture (3 points)

Réécrivez ce passage : « Lorsque je vais [...] comme avec une corde. » (lignes 29 à 31), en remplaçant « je » par « il ». Faites les modifications nécessaires.

■ Dictée (7 points)

J.-M. G. Le Clézio
Lullaby
Gallimard, 1970

Lullaby avançait sur le chemin et elle vit que la mer était plus forte. Les vagues courtes cognaient contre les rochers, se creusaient, revenaient. La jeune fille s'arrêta dans les rochers pour écouter la mer. Elle connaissait bien son bruit, l'eau qui clapote et se déchire, puis se réunit en faisant exploser l'air, elle aimait bien cela, mais aujourd'hui, c'était comme si elle l'entendait pour la première fois. Il n'y avait rien d'autre que les rochers blancs, la mer, le vent, le soleil.

Écrire au tableau : Lullaby.

■ Rédactions au choix (15 points)

Sujet 1 (sujet d'imagination)
Après cette scène, Marius décide de partir pour les Îles Sous le Vent. Rédigez la lettre qu'il envoie à Fanny dans laquelle il raconte son voyage puis son arrivée.
Longueur attendue : 20 lignes minimum.

Sujet 2 (sujet de réflexion)
Aimeriez-vous exercer un métier qui vous amène à voyager souvent ? Justifiez votre point de vue dans un texte de 20 lignes minimum.

Découvrir le sujet

▶ Les questions
Grammaire
– Mode verbal.
– Référents de pronoms.

Vocabulaire
– Champ sémantique.
– Relevés justificatifs.
– Sens de mots ou d'expressions.
– Synonyme.

Écriture
– Genre du texte.
– Hypothèses de lecture.

▶ Les rédactions
Sujet 1
• Lisez le Point clé 5 afin de rédiger correctement la lettre de Marius.

Sujet 2
• Avant d'écrire votre passage argumentatif, lisez le Point clé 6.
• Réfléchissez aux avantages ou aux inconvénients de voyager beaucoup.

Jean-Michel Ribes

Tragédie, dans *Théâtre sans animaux*
Actes Sud-Papiers, 2001

Ils sont chics. Costumes de gala. Louise, tendue, marche vite. Jean-Claude, visage fermé, traîne derrière. Escaliers, couloirs, ils cherchent un nom sur une porte.

LOUISE. – « Bravo », tu lui dis juste « bravo », c'est tout.

JEAN-CLAUDE. – *(Soupirs).*

LOUISE. – Je ne te demande pas de te répandre en compliments, je te demande de lui dire juste un petit bravo… […]

5 JEAN-CLAUDE. – Je ne peux pas.

LOUISE. – Tu ne peux pas dire « bravo » ?

JEAN-CLAUDE. – Non.

LOUISE. – Même un petit bravo ?

JEAN-CLAUDE. – Non.

10 LOUISE. – C'est quoi ? C'est le mot qui te gêne ?

JEAN-CLAUDE. – Non, c'est ce qu'il veut dire.

LOUISE. – Oh ! ce qu'il veut dire, ce qu'il veut dire, si tu le dis comme « bonjour », déjà il veut beaucoup moins dire ce qu'il veut dire.

JEAN-CLAUDE. – Ça veut quand même un peu dire « félicitations », non ?

15 LOUISE. – Oui mais pas plus. Vraiment pas plus.

JEAN-CLAUDE. – J'ai haï cette soirée, tu es consciente de ça, Louise ? ! J'ai tout détesté, les costumes, les décors, la pièce et Elle, surtout Elle !

LOUISE. – Justement, comme ça tu n'es pas obligé de lui dire que tu n'as pas aimé, tu lui dis juste « bravo », un petit bravo et c'est fini, on n'en
20 parle plus, tu es débarrassé et moi j'enchaîne… Tiens, sa loge est là !

JEAN-CLAUDE. – Je n'y arriverai pas.

LOUISE. – Jean-Claude, tu as vu où elle nous a placés, au sixième rang d'orchestre[1], au milieu de tous les gens connus, elle n'était pas obligée, on n'est pas célèbres, on est même le contraire, elle a fait ça pour nous faire
25 plaisir.

JEAN-CLAUDE. – Je n'ai éprouvé aucun plaisir.

LOUISE. – C'est bien pour ça que je ne te demande pas de lui dire « merci », là d'accord, « merci » ça pourrait avoir un petit côté hypocrite surtout si tu t'es beaucoup ennuyé, mais « bravo », franchement ! [...]

30 JEAN-CLAUDE. – Si tu dois continuer, dis-le-moi tout de suite, parce que je te préviens, avec toi ce ne sera pas comme avec Simone, je sors, je fous le camp de ce théâtre et je ne reviens pas, tu m'entends, Louise, je ne reviens plus jamais... je suis à bout.

LOUISE. – Tout ça parce que je te demande d'être poli avec ta belle-sœur !

35 JEAN-CLAUDE. – Parce qu'elle l'a été, elle, sur scène ? ! parce que c'est de l'art, c'est poli ?... parce que c'est classique, c'est poli ? parce que ça rime, c'est poli ? C'est ça ?

LOUISE. – Tu n'es quand même pas en train de m'expliquer que Racine est mal élevé ? !

40 JEAN-CLAUDE. – Ta sœur m'a torturé, Louise, tu m'entends, torturé pendant toute la soirée. [...]

LOUISE. – Ah oui ! ça j'ai vu, tu l'as regardée, ta montre !

JEAN-CLAUDE. – Tout le temps ! À un moment j'ai même cru qu'elle s'était arrêtée, pendant sa longue tirade avec le barbu, le mari, ça n'avan-
45 çait plus. Je me suis dit, la garce, elle nous tient, huit cents personnes devant elle, coincées dans leur fauteuil, elle nous a bloqué les aiguilles pour que ça dure plus longtemps. Je ne sais pas comment j'ai tenu, je ne sais pas...

---

1. Orchestre : dans un théâtre, ensemble des places qui se trouvent devant la scène.

■ Questions (15 points)

I. LA SITUATION   4,5 POINTS

▶ **1.** « ...je te demande de lui dire juste un petit bravo » (lignes 3-4).
a) À quelle classe grammaticale appartiennent les mots soulignés ?
b) Qui est désigné par chacun de ces mots ?
c) Recherchez toutes les informations sur le personnage désigné par le mot « lui » (prénom, lien familial, profession).
d) Par quel autre pronom ce personnage est-il désigné à la ligne 17 ? Comment expliquez-vous la présence de la majuscule ? *(2 points)*

▶ **2.** Lignes 1 à 10 :
a) Quel est le temps verbal utilisé dans ce passage ?
b) Quelle est sa valeur ? *(1 point)*

▶ **3.** En vous appuyant sur les réponses précédentes, le texte et le para-texte, dites à quel genre littéraire appartient cet extrait. Donnez quatre indices pour justifier votre réponse. *(1 point)*

▶ **4.** Relevez dans l'ensemble du texte quatre mots qui permettent de savoir où se déroule l'action. *(0,5 point)*

II. DEUX PERSONNAGES EN DÉSACCORD   5 POINTS

▶ **5.** Que s'est-il passé avant que les personnages ne commencent ce dialogue ? Rédigez votre réponse en vous appuyant sur le texte. *(1,5 point)*

▶ **6. a)** Autour de quel mot la dispute éclate-t-elle ?
b) Comment est-il mis en relief ? *(1 point)*

▶ **7.** Lignes 6 à 10 :
a) Quel type de phrase Louise utilise-t-elle principalement ?
b) Quelle intention du personnage cela traduit-il ? *(1 point)*

▶ **8.** Lignes 16 à 33 :
a) Quelles expressions traduisent les sentiments de Jean-Claude ?
b) Dans une réponse rédigée, nommez ces sentiments. *(1,5 point)*

III. UNE DISPUTE QUI S'ENVENIME   5,5 POINTS

▶ **9.** « JEAN-CLAUDE. – Ta sœur m'a torturé, Louise, tu m'entends, tor-turé pendant toute la soirée » (lignes 40-41).
a) Quel est le sens du verbe « torturer » dans cette phrase ?
b) Quelle est la figure de style utilisée ?
c) Quel effet produit-elle ? Indiquez, dans la même réplique, au moins un autre procédé d'écriture concourant au même effet. *(2 points)*

▶ **10.** « LOUISE. – …je te demande d'être poli avec ta belle-sœur » (lignes 34 à 48).
Citez deux expressions qui montrent l'impolitesse de Jean-Claude. *(0,5 point)*

▶ **11.** Dans une réponse rédigée, vous montrerez comment la dispute s'envenime. Vous vous appuierez sur la syntaxe, la ponctuation, les regis-tres de la langue. *(1,5 point)*

▶ **12.** Lignes 30 à 33 :
a) Indiquez quels gestes, mouvements, intonations peut avoir ici le per-sonnage de Jean-Claude.
b) Quel est l'effet produit par ces jeux de scène ? *(1,5 point)*

■ Réécriture (4 points)

« LOUISE. – Justement, comme ça tu n'est pas obligé de lui dire que tu n'as pas aimé, tu lui dis juste "bravo", un petit bravo et c'est fini, on n'en parle plus, tu es débarrassé et moi j'enchaîne… » (lignes 18 à 20).
Réécrivez ce passage au futur.

■ Dictée (6 points)

Jean-Michel Ribes
Tragédie, dans *Théâtre sans animaux*
Actes Sud-Papiers, 2001

LOUISE. – Quinze ans d'attente, Jean-Claude, quinze ans que Simone attend d'entrer à la Comédie-Française ! Ça y est, c'est fait, elle est engagée ! Et miracle, on lui offre le rôle dont elle rêve depuis toujours ! Ce soir pour la première fois de sa vie elle vient de jouer *Phèdre* dans le plus prestigieux théâtre d'Europe, et toi, son beau-frère, tu refuses de lui dire « bravo », juste un petit bravo ! Qu'est-ce que tu es devenu ? un animal ?
JEAN-CLAUDE. – Elle vient de jouer *Phèdre* pour la première fois de sa vie !? Tu te moques ou quoi ? Et le jour de notre mariage, tu as oublié peut-être ? Elle en a déclamé un morceau en plein milieu du repas, comme ça, sans prévenir personne, même qu'après les enfants ont pleuré et qu'aucun invité n'a voulu danser.

Écrire au tableau : Louise, Jean-Claude, Simone, Comédie-Française, *Phèdre*.

■ Rédaction (15 points)

Sujet
La porte de la loge s'ouvre, Simone apparaît. Imaginez la scène.
En conservant le registre comique, vous écrivez le dialogue qui s'instaure entre les trois personnages en présence (vous avez à écrire une scène de théâtre).

Consignes

Vous respecterez les règles de présentation d'une scène de théâtre (noms des personnages, didascalies, entrée ou sortie d'un personnage mettant fin à la scène, jeu de scène…). Vous tiendrez compte de ce que vous savez des caractères des personnages et de la situation.

Il sera tenu compte dans l'évaluation de la correction de l'expression, de l'orthographe et de la présentation.

Découvrir le sujet

▶ Les questions

Grammaire

- Nature et fonction.
- Référent d'un pronom.
- Reprises pronominales.
- Temps et modes verbaux.
- Types de phrases
- Valeurs des temps verbaux.

Vocabulaire

- Champ lexical.
- Registres de langue.
- Relevés justificatifs.

Écriture

- Figure de style.
- Genre du texte.
- Hypothèses de lecture.
- Indices de lieu.
- Ponctuation.
- Situation de communication.
- Typographie.

▶ La rédaction

• À aucun moment, vous ne devez écrire de récit. Tout doit être dit par les personnages ou indiqué par des didascalies.

• N'oubliez pas les sentiments qu'éprouve Jean-Claude pour sa belle-sœur.

Muriel Gilbert
« Au secours, mon fils m'apprend la vie », *Top Famille*
n° 19, décembre 2001

« Jeuvidéomanie »

« **Maman, regarde un peu ça !** » Je me retourne, boîte de tomates pelées
en main. Triomphant, mon fiston a l'air absolument tri-om-phant. Le
visage fendu d'un sourire gigantesque, il me tend une feuille format A4,
qui n'a l'air d'absolument rien. Sauf peut-être, m'aperçois-je, ayant
5 déposé boîte et ouvre-boîtes sur le plan de travail, d'être étrangement
chaude. Le Sherlock Holmes qui ne dort jamais en moi que d'un œil en
déduit qu'elle sort tout juste de son imprimante.
« **Tu vois, je viens de trouver ça sur le site Internet Actu** », explique-
t-il, pour appuyer la crédibilité de la nouvelle. « Les jeux vidéo rendraient
10 intelligent ! », c'est le titre de l'article. Instantanément, je comprends son
enthousiasme : il y a des mois que je me tue à lui affirmer le contraire.
« Regarde : c'est un institut de recherche qui le dit ! » Et de lire à voix
haute, par-dessus mon épaule (au cas, sans doute, où je montrerais quelque mauvaise volonté à poursuivre au-delà du titre) : « "Les enfants qui
15 jouent régulièrement aux jeux vidéo sont plus intelligents que les autres,
ils ont plus de chances que d'autres d'aller à l'université, leur taux de con-
centration et de coordination est plus élevé que la moyenne", et même ils
disent : "comparable à celui des athlètes de haut niveau" ! Alors, tu vois !
Là, tu pourras plus m'empêcher de jouer. »
20 **Je ne me rappelle pas ce que j'ai répondu. Sans doute pas grand-chose**
qui vaille de s'en souvenir. Mes arguments pédago-parentaux volaient en
éclats. Merci la presse, merci les chercheurs…
Bon, songeai-je à part moi, d'un côté, puisque mon fiston est jeuvidéo-
maniaque – il faut bien que je me résolve à le reconnaître – la nouvelle
25 serait plutôt positive. […] Le doute m'assaillait.
Jusqu'à ce matin. Par hasard, je suis tombée sur un article publié, lui
aussi, sur Internet. Il reprenait deux dépêches arrivées quelques heures
plus tôt : en Thaïlande, on venait de retrouver le corps d'un garçon de

22 ans, mort d'une crise cardiaque sur son clavier après avoir joué à un
30 jeu de guerre toute la nuit ; et à Singapour, un jeune homme en avait poi-
gnardé un autre, dans une salle de jeux en réseau, pour venger la mort de
son personnage virtuel.

J'ai imprimé la page et déposé une feuille toute chaude entre les mains de
mon héritier. Ça n'a pas eu l'air de l'impressionner. [...]
35 **Allez, salut, bande de parents !**

■ Questions (15 points)

I. LE GENRE   3 POINTS

▶ **1.** Déterminez la nature du document et donnez au moins deux indices
qui justifient votre réponse. *(0,5 point × 2)*

▶ **2.** « Au secours, mon fils m'apprend la vie ». En quoi ce titre surprend-
il le lecteur ? *(1 point)*

▶ **3.** Donnez le sens de « Jeuvidéomanie » à partir de sa formation.
Pourquoi ce mot est-il entre guillemets ? *(0,5 point × 2)*

II. LES DIFFÉRENTES VOIX   6,5 POINTS

▶ **4. a)** Quel est l'auteur du texte ? Quel est son métier ? *(0,5 point)*
b) À qui s'adresse précisément ce texte ? Justifiez votre réponse. *(1 point)*

▶ **5.** Quelle est la valeur du présent (lignes 1 à 5) ? *(0,5 point)*

▶ **6.** Quels sont les deux personnages qui s'expriment dans le texte ?
Relevez pour chacun d'eux une expression qui les désigne. *(2 points)*

▶ **7. a)** Lignes 14 à 19 : par qui cette phrase est-elle prononcée ? *(0,5 point)*
b) Dans « ils disent » (lignes 17-18), que représente « ils » ? *(1 point)*

▶ **8.** À la ligne 14, expliquez pourquoi on ouvre deux fois les guillemets.
(1 point)

III. LA CONFRONTATION
DES POINTS DE VUE   5,5 POINTS

▶ **9.** « Triomphant, mon fiston a l'air [...] <u>tri-om-phant</u> » (ligne 2).
a) Donnez la fonction de l'adjectif souligné. *(0,5 point)*

b) Commentez la graphie et la place de cet adjectif dans la phrase. *(1 point)*

▶ **10.** Énoncez la thèse que défend le fils dans le texte. *(1 point)*

▶ **11.** « [C]'est un institut de recherche qui le dit ! » (ligne 12). Quelle est la tournure grammaticale utilisée dans la phrase ? Quel est son intérêt ? *(1 point)*

▶ **12.** « [J]e comprends son enthousiasme : il y a des mois que je me tue à lui affirmer le contraire » (lignes 10-11).
a) Quel rapport logique unit les propositions ? Réécrivez la phrase en faisant apparaître une proposition subordonnée de même sens. *(1 point)*
b) Quelle est la thèse défendue par la mère ? *(1 point)*

■ Réécriture (4 points)

Des lignes 1 à 7, remplacez « je » par « elle » et faites toutes les transformations nécessaires.

■ Dictée (6 points)

Article « jeux vidéo »
Collection Microsoft® Encarta® 2002.

La popularité spectaculaire de ces jeux a donné naissance à une nouvelle industrie à partir de la fin des années 1970.
Pour jouer, l'utilisateur doit appuyer sur des boutons et se servir d'un levier. On peut jouer seul contre l'ordinateur, ou à deux ou trois personnes (les unes contre les autres ou contre l'ordinateur). Les jeux sont répartis en plusieurs catégories thématiques : apprentissage, aventures et sports. Les jeux les plus appréciés comportent des sons et des images d'une haute qualité.

© 1993-2001 Microsoft Corporation.

Écrire au tableau : Article jeux vidéo.

■ Rédaction (15 points)

Sujet

La journaliste décide de donner un droit de réponse à son fils en lui permettant d'écrire un article dans la même rubrique. Dans celui-ci, le jeune garçon raconte la scène (lignes 1 à 25) de son point de vue pour donner son avis sur la question et tenter de convaincre les lecteurs.

Consignes

Votre texte devra respecter les caractéristiques du genre.
Il contiendra des éléments narratifs, explicatifs et argumentatifs.

Découvrir le sujet

▶ Les questions

Grammaire
- Nature et fonction.
- Rapport logique.
- Référent d'un pronom.
- Syntaxe.
- Transformation en proposition subordonnée.
- Valeur d'un temps verbal.

Vocabulaire
- Relevés justificatifs.
- Sens de mots ou d'expressions.

Écriture
- Genre du texte.
- Hypothèses de lecture.
- Indices de présence du narrateur.
- Ponctuation.
- Situation de communication.
- Typographie.

▶ La rédaction

- Lisez les Points clés 6 et 7.
- Votre rédaction devra comprendre une partie narrative avec un changement de point de vue et une partie argumentative.

Michel Tournier

Le Miroir des idées
Mercure de France, 1994

La cave et le grenier

Toute vraie maison possède une cave et un grenier. Ces lieux extrêmes
sont également obscurs, mais il s'agit d'obscurités bien différentes. La lueur,
qui de la cave tombe du soupirail[1], vient de la terre et du sol – jardin
ou rue – et n'est presque jamais animée par un rayon de soleil. C'est une
5 lueur impure, tamisée, amortie. Au contraire le vasistas[2] du grenier, ouvert
directement dans la toiture, donne sur le ciel, son azur, ses nuages, sa lune,
ses étoiles.

Il n'empêche que la cave est un lieu de vie, alors que le grenier est un
lieu de mort. Le grenier ressemble toujours aux balcons du ciel, dont parle
10 Baudelaire, où les défuntes années se penchent en robes surannées[3]. L'air
du grenier sent la poussière et les fleurs fanées. On y retrouve le landau
de bébé, les poupées mutilées, les chapeaux de paille crevés, le livre d'images aux pages jaunies, des journaux célébrant une actualité infiniment
lointaine. Les écarts de température y sont énormes, car on y cuit l'été et
15 on y gèle l'hiver. Il faut se garder de trop explorer le contenu des coffres
et des malles qui y dorment, car on risque de réveiller des secrets de famille
honteux et douloureux.

Si l'escalier, qui monte au grenier, a la sèche et craquante légèreté du
bois, celui qui descend à la cave, de pierre froide et humide, fleure[4] la moi-
20 sissure et la terre grasse. Ici la température est égale en toute saison et paraît
tiède en hiver, fraîche en été. Car le grenier est tourné vers le passé, sa fonction est de mémoire et de conservation, tandis que la cave mûrit la saison
prochaine. La tresse d'échalotes se balance sous la voûte ; le vin se bonifie,
couché dans les casiers de fer. Dans un coin brille sombrement le tas de bou-
25 lets de charbon de l'hiver. À l'opposé s'élève l'amoncellement mat des pommes de terre. Sur les rayons s'alignent des pots de confiture et de cerises à
l'eau-de-vie. Souvent le père de famille a installé dans la cave l'atelier de
menuiserie ou le four de poterie qui est son passe-temps du dimanche.

… Et ceux qui ont connu la guerre n'oublient pas que la cave offrait
30 alors le seul abri contre les bombes. Et ceux qui eurent vingt ans à la Libé-
ration dansèrent dans les caves de Saint-Germain-des-Prés[5].

Oui, il y a dans toute cave des promesses de bonheurs enfouis. La
racine vivante de la maison s'enfonce dans sa cave. Le souvenir et la poésie
flottent au grenier. L'animal emblématique de la cave est le rat – qui sur-
35 passe tous les autres mammifères par sa vitalité – celui du grenier, la
chouette, oiseau de Minerve, déesse de la sagesse.

---

1. Soupirail : ouverture donnant de l'air à une cave.
2. Vasistas : petite fenêtre de toit.
3. Surannées : démodées.
4. Fleure : répand un parfum de…
5. Saint-Germain-des-Prés : quartier de Paris à la mode au lendemain de la Seconde Guerre
mondiale.

■ Questions (15 points)

I. DEUX UNIVERS   6 POINTS

▶ **1.** Expliquez pourquoi la cave et le grenier sont qualifiés de « lieux
extrêmes » (ligne 1). Votre réponse s'appuiera sur des expressions relevées
dans le premier paragraphe. *(1 point)*

▶ **2.** Quel champ lexical caractérise le grenier dans le deuxième paragraphe ? Justifiez votre réponse en relevant quatre mots. *(2 points)*

▶ **3.** Dans les paragraphes 3 et 4 :
a) Quels produits trouve-t-on dans la cave ? À quoi servent-ils ?
b) Quelles activités la cave peut-elle accueillir ?
c) Quelle est l'impression dominante qui se dégage de ce lieu ? *(2 points)*

▶ **4.** Relevez, dans le deuxième paragraphe, la phrase qui résume ce que
symbolisent ces deux lieux. *(1 point)*

II. DES LIEUX SYMBOLIQUES   5 POINTS

▶ **5.** « Car le grenier est tourné vers le passé, sa fonction est de mémoire
et de conservation, tandis que la cave mûrit la saison prochaine »
(lignes 21 à 23).

Quel est le rapport logique établi par « tandis que » ? *(0,5 point)*

▶ **6.** Lignes 18 à 20 :

a) Relevez tous les noms et adjectifs qui caractérisent « l'escalier qui monte au grenier ». Quelle impression s'en dégage ?

b) Faites le même travail pour « celui qui descend à la cave ». *(2 points)*

▶ **7. a)** Dans le dernier paragraphe, quel animal semble conforter cette impression ?

b) Quelle qualité le narrateur lui associe-t-il ? *(1 point)*

▶ **8.** D'après vos réponses aux questions **6.b)** et **7**, quelle opposition se dégage entre deux visions d'un même lieu : la cave ?

Citez dans le dernier paragraphe, au moins deux termes appréciatifs qui donnent une image positive de la cave. *(1,5 point)*

III. LA VISÉE DU TEXTE   **4 POINTS**

▶ **9.** « Oui, il y a dans toute cave des promesses de bonheurs enfouis » (ligne 32).

– Qui prononce ce « Oui » ?

– À qui s'adresse ce « Oui » ?

– Dans quelle intention ? *(2 points)*

▶ **10.** Quelle(s) autre(s) représentation(s) la cave peut-elle inspirer ? Justifiez votre réponse en deux ou trois lignes. *(2 points)*

■ Réécriture (4 points)

▶ **1.** « Si l'escalier, qui monte au grenier, a la sèche et craquante légèreté du bois, celui qui descend à la cave, de pierre froide et humide, fleure la moisissure et la terre grasse » (lignes 18 à 20).

Réécrivez ce passage en mettant les verbes à l'imparfait et en remplaçant « l'escalier » par « les escaliers ». *(2,5 points)*

▶ **2.** « …Et ceux qui ont connu la guerre n'oublient pas que la cave offrait alors le seul abri contre les bombes » (lignes 29-30).

Réécrivez cette phrase en remplaçant « ceux » par « moi » et en apportant toutes les transformations nécessaires. *(1,5 point)*

■ Dictée (6 points)

Michel Tournier
Le Miroir des idées
Mercure de France, 1994

La santé et la maladie

On peut être un excellent médecin et ne pas avoir une idée claire de la santé et de la maladie. C'est le cas le plus général. Certains croient en avoir assez dit quand ils ont défini la santé par l'absence de souffrance, et la vie dans le silence des organes. Or il existe des douleurs aiguës – rages de dents, douleurs intercostales – et cependant insignifiantes, et à l'inverse des affections mortelles et incurables qui progressent sans que rien ne les signale. La souffrance ne saurait être considérée comme un symptôme sûr et précis, encore moins un critère.

_____

Écrire au tableau et expliquer oralement : « intercostales », « qui se manifestent dans la poitrine, au niveau des côtes ».

■ Rédaction (15 points)

Sujet

Vous retrouvez un lieu qui vous avait laissé une forte impression, plaisante ou désagréable, et vous le découvrez avec un regard nouveau.
Vous confiez aux pages de votre journal intime l'expérience de ce changement de regard.

Consignes

Votre texte opposera naturellement le souvenir conservé et la nouvelle impression.
Il mêlera narration et description.
Il s'attachera à l'expression des émotions et des sentiments.
Il sera tenu compte, dans l'évaluation, de la correction de la langue et de l'orthographe.

Découvrir le sujet

▶ Les questions

Grammaire
– Rapport logique.
– Reprises nominales.
– Syntaxe.

Vocabulaire
– Champ lexical.
– Relevés justificatifs.
– Sens de mots ou d'expressions.

Écriture
– Hypothèses de lecture.
– Situation de communication.

▶ La rédaction
• Lisez les Points clés 1 et 4.
• N'oubliez pas que vous écrivez dans votre journal intime.

Georges Feydeau

On purge Bébé ! Acte I, scène 1
1910

*Au lever du rideau, Follavoine est penché sur sa table de travail et consulte un
dictionnaire. Rose, la domestique, vient lui dire que Madame Follavoine veut
le voir. Follavoine la renvoie.*

FOLLAVOINE, *rappelant Rose au moment où elle va sortir.* – Au fait, dites
donc, vous… !
ROSE, *redescendant.* – Monsieur ?
FOLLAVOINE. – Par hasard, les… les Hébrides… ?
5 ROSE, *qui ne comprend pas.* – Comment ?
FOLLAVOINE. – Les Hébrides ?…Vous ne savez pas où c'est ?
ROSE, *ahurie.* – Les Hébrides ?
FOLLAVOINE. – Oui.
ROSE. – Ah ! non !… non ! (*Comme pour se justifier.*) C'est pas moi qui
10 range ici ! C'est Madame.
FOLLAVOINE, *se redressant en refermant son dictionnaire sur son index de
façon à ne pas perdre la page.* – Quoi ! quoi, « qui range » ! les Hébrides !
Ce sont des îles ! bougre d'ignare ! de la terre entourée d'eau… vous ne
savez pas ce que c'est ?
15 ROSE, *ouvrant de grands yeux.* – De la terre entourée d'eau ?
FOLLAVOINE. – Oui ! de la terre entourée d'eau, comment ça s'appelle ?
ROSE. – De la boue ?
FOLLAVOINE, *haussant les épaules.* – Mais non, pas de la boue ! C'est de
la boue quand il y a beaucoup de terre et pas beaucoup d'eau ; mais quand
20 il y a beaucoup de terre et beaucoup d'eau, ça s'appelle des îles !
ROSE, *abrutie.* – Ah ?
FOLLAVOINE. – Eh ! bien, les Hébrides, c'est ça ! Ce sont des îles ! par
conséquent, c'est pas dans l'appartement.
ROSE, *voulant avoir compris.* – Ah ! oui ! c'est dehors !
25 FOLLAVOINE, *haussant les épaules.* – Naturellement ! c'est dehors !
ROSE. – Ah ! ben non ! non je les ai pas vues.

FOLLAVOINE, *quittant son bureau et poussant familièrement Rose vers la porte pan coupé.* – Oui, bon, merci, ça va bien !

ROSE, *comme pour se justifier.* – Y a pas longtemps que je suis à Paris, 30 n'est-ce pas… ?

FOLLAVOINE. – Oui !… oui, oui !

ROSE. – Et je sors si peu !

FOLLAVOINE. – Oui ! ça va bien ! allez !… allez retrouver Madame.

ROSE. – Oui, Monsieur !

35 *Elle sort.*

FOLLAVOINE. – Elle ne sait rien cette fille ! rien ! qu'est-ce qu'on lui a appris à l'école ? (*Redescendant jusque devant la table contre laquelle il s'adosse.*) « C'est pas elle qui a rangé les Hébrides » ! Je te crois, parbleu ! (*Se replongeant dans son dictionnaire.*) « Z'Hébrides… Z'Hébrides… » 40 (*Au public.*) C'est extraordinaire ! je trouve zèbre, zébré, zébrure, zébu !… Mais de Zhébrides, pas plus que dans mon œil ! Si ça y était, ce serait entre zébré et zébrure. On ne trouve rien dans ce dictionnaire !

Par acquit de conscience, il reparcourt des yeux la colonne qu'il vient de lire.

■ Questions (15 points)

I. UN TEXTE THÉÂTRAL   3,5 POINTS

▶ **1.** Relevez deux indices qui montrent qu'il s'agit d'un texte théâtral. *(1 point)*

▶ **2. a)** Quels sont les deux personnages en présence ? Quelles relations entretiennent-ils ? Justifiez votre réponse. *(1,5 point)*
b) Quel est le personnage qui parle le plus ? Pourquoi ? *(1 point)*

II. UN QUIPROQUO   7,5 POINTS

▶ **3.** Quelle phrase prononcée par Follavoine déclenche le quiproquo ? Que croit Rose ? *(1 point)*

▶ **4. a)** De la ligne 1 à la ligne 34, quels sont les trois signes de ponctuation les plus utilisés ? *(0,5 point)*
b) Qu'indique chacun d'eux ? *(1 point)*

▶ **5. a)** Relevez des éléments qui prouvent l'ignorance de Rose. *(0,5 point)*
b) Quels arguments avance-t-elle pour l'expliquer ? *(1 point)*

▶ **6.** Quel sentiment Follavoine éprouve-t-il à son égard ? Justifiez votre réponse par des citations. *(1,5 point)*

▶ **7. a)** Quelles sont la nature et la fonction du mot « les » à la ligne 26 (« je les ai pas vues ») ? *(1 point)*
b) Quel est son référent ? *(0,5 point)*
c) Justifiez l'accord du participe passé. *(0,5 point)*

III. LE RETOURNEMENT DE SITUATION   4 POINTS

▶ **8. a)** Quelle erreur Follavoine commet-il en cherchant dans le dictionnaire ? *(0,5 point)*
b) À quoi est due cette confusion ? *(0,5 point)*

▶ **9.** Que nous révèle cette erreur sur le personnage ? *(1 point)*

▶ **10.** Qui Follavoine prend-il à témoin à la fin de la scène ? Quel est l'effet produit ? *(1 point)*

▶ **11.** Sur quoi repose le comique de cette scène ? *(1 point)*

■ Réécriture (4 points)

1. Dans le passage qui va des lignes 36 à 38, « Elle ne sait rien […] Hébrides », remplacez « Elle » par « Elles ».
Faites toutes les transformations nécessaires. *(2 points)*
2. Transformez la réplique de Follavoine « C'est de la boue […] ça s'appelle des îles ! » (lignes 18 à 20) au discours indirect. Vous commencerez par : « Follavoine expliqua à Rose que… ». *(2 points)*

■ Dictée (6 points)

Bernardin de Saint-Pierre
Paul et Virginie
1788

Il faisait une de ces nuits délicieuses, si communes entre les tropiques, et dont le plus habile pinceau ne rendrait pas la réalité. La lune apparaissait au milieu du firmament, entourée d'un rideau de nuages que ses rayons dissipaient par degrés. Sa lumière se répandait insensiblement sur les montagnes de l'île et sur leurs pitons, qui brillaient d'un vert argenté.

Les vents retenaient leurs haleines. On entendait dans les bois, au fond des vallées, au bout des rochers, de petits cris, de doux murmures d'oiseaux qui se caressaient dans leurs nids, réjouis par la clarté de la lune et la tranquillité de l'air.

■ Rédaction (15 points)

Vous avez été, un jour, le témoin ou la victime d'une scène de mépris. Racontez les événements en précisant les circonstances de la scène et les sentiments éprouvés.

Dans un passage argumentatif, vous condamnerez la personne méprisante.

Découvrir le sujet

▶ Les questions

Grammaire
– Accords.
– Nature et fonction.
– Référent d'un pronom.

Vocabulaire
– Registre de langue.
– Relevés justificatifs.

Écriture
– Genre du texte
– Hypothèses de lecture.
– Ponctuation.
– Tonalité du texte.
– Situation de communication.

▶ La rédaction
• Lisez les Points clé 1 et 6.
• Vous préciserez clairement les raisons du mépris affiché par la personne.

Victor Hugo
Les Contemplations, III, 2
1838

Melancholia

Où vont tous ces enfants dont pas un seul ne rit ?
Ces doux êtres pensifs que la fièvre maigrit ?
Ces filles de huit ans qu'on voit cheminer seules ?
Ils s'en vont travailler quinze heures sous des meules ;
5   Ils vont, de l'aube au soir, faire éternellement
Dans la même prison le même mouvement,
Accroupis sous les dents d'une machine sombre,
Monstre hideux qui mâche on ne sait quoi dans l'ombre,
Innocents dans un bagne, anges dans un enfer,
10   Ils travaillent. Tout est d'airain[1], tout est de fer.
Jamais on ne s'arrête et jamais on ne joue.
Aussi quelle pâleur ! La cendre est sur leur joue.
Il fait à peine jour, ils sont déjà bien las.
Ils ne comprennent rien à leur destin, hélas !
15   Ils semblent dire à Dieu : « Petits comme nous sommes,
Notre père, voyez ce que nous font les hommes ! »
Ô servitude infâme imposée à l'enfant ! […]
Travail mauvais qui prend l'âge tendre en sa serre,
Qui produit la richesse en créant la misère,
20   Qui se sert d'un enfant ainsi que d'un outil !
Progrès dont on se demande : Où va-t-il ? que veut-il ?
Qui brise la jeunesse en fleur ! qui donne, en somme,
Une âme à la machine et la retire à l'homme !

---

1. Dur comme le bronze.

■ Questions (15 points)

I. UN POÈME   2,5 POINTS

▶ **1.** À quoi voit-on que ce texte est un poème ? *(1 point)*

▶ **2. a)** Combien de syllabes compte chacun des vers ? Comment les appelle-t-on ? *(1 point)*
b) Comment sont disposées les rimes ? *(0,5 point)*

II. LA JEUNESSE ET LE TRAVAIL   7 POINTS

▶ **3.** Relevez les reprises nominales qui désignent les enfants. Que soulignent-elles ? *(1 point)*

▶ **4. a)** Relevez cinq indicateurs de temps. *(1 point)*
b) Sur quoi insistent-ils ? *(0,5 point)*

▶ **5.** À quel temps sont les verbes ? Précisez la valeur de ce temps. *(1 point)*

▶ **6. a)** Donnez la classe grammaticale (nature) et la fonction des mots « innocents » et « anges » au vers 9. *(1 point)*
b) À quels mots s'opposent-ils ? *(1 point)*

▶ **7.** Quel est le référent de « on » au vers 11 ? *(0,5 point)*

▶ **8.** Quelle est la figure de style utilisée au vers 6 ? Relevez deux autres exemples de cette même figure de style dans le poème. *(1 point)*

III. LA DÉNONCIATION DU POÈTE   5,5 POINTS

▶ **9. a)** Quel est le sens du mot « las » au vers 13 ? Donnez un nom de la même famille que « las ». *(1 point)*
b) Quelles sont les conséquences du travail sur la santé et le caractère des enfants ? Appuyez votre réponse sur des citations précises. *(0,5 point)*

▶ **10.** Que reprochent les enfants aux hommes ? Quel est, semble-t-il, leur seul interlocuteur possible ? *(1 point)*

▶ **11.** « Travail mauvais qui prend l'âge tendre en sa serre » (vers 18).
a) Qu'est-ce que la « serre » d'un oiseau ? *(0,5 point)*
b) Quelle figure de style identifiez-vous ? *(0,5 point)*

▶ **12. a)** Que reproche Victor Hugo au progrès ? *(1 point)*
b) Que dénonce le poète ? *(1 point)*

■ Réécriture (4 points)

Réécrivez à l'imparfait le poème du vers 1 au vers 11.
Vous garderez la présentation en vers.

■ Dictée (6 points)

Victor Hugo
Les Misérables, II, 3
1862

    Cosette était entre les Thénardier, subissant leur double pression, comme une créature qui serait à la fois broyée par une meule et déchiquetée par une tenaille. L'homme et la femme avaient chacun une manière différente ; Cosette était rouée de coups, cela venait de la femme ; elle allait pieds nus l'hiver, cela venait du mari.
    Cosette montait, descendait, lavait, brossait, frottait, balayait, courait, trimait, haletait, remuait des choses lourdes, et, toute chétive, faisait les grosses besognes. Nulle pitié ; une maîtresse farouche, un maître venimeux.

Écrire au tableau : Cosette, Thénardier.

■ Rédaction (15 points)

Sujet
Vous souhaitez présenter votre candidature au député de votre région pour participer à l'Assemblée nationale des jeunes. Vous lui écrivez une lettre où vous détaillez un projet précis que vous comptez défendre. Il visera à améliorer un aspect de la vie des enfants ou des adolescents.

Consignes
Vous tiendrez compte de la présentation d'une lettre.
Vous rédigerez un texte d'au moins vingt lignes.
Vous veillerez à appliquer les règles d'orthographe et de grammaire.
Pour respecter l'anonymat de l'examen, vous ne signerez pas votre lettre.

Découvrir le sujet

▶ Les questions

Grammaire

– Nature et fonction.

– Mode et temps verbaux.

– Référent de « on ».

– Valeurs des temps verbaux.

Vocabulaire

– Champ lexical.

– Famille de mots.

– Relevés justificatifs.

– Sens de mots ou d'expressions.

Écriture

– Figure de style.

– Forme de discours.

– Genre du texte

– Hypothèses de lecture.

– Indices de temps.

– Versification.

▶ La rédaction

• Lisez le Point clé 5 : « Écrire une lettre ».

• Votre projet doit être précis et clairement expliqué.

• Il faudra varier les arguments pour défendre votre point de vue.

Guy de Maupassant

Aux champs
1882

À Octave Mirbeau.

Les deux chaumières étaient côte à côte, au pied d'une colline, proches d'une petite ville de bains. Les deux paysans besognaient dur sur la terre inféconde pour élever tous leurs petits. Chaque ménage en avait quatre. Devant les deux portes voisines, toute la marmaille grouillait du matin au
5 soir. Les deux aînés avaient six ans et les deux cadets quinze mois environ ; les mariages, et, ensuite, les naissances s'étaient produites à peu près simultanément dans l'une et l'autre maison.

Les deux mères distinguaient à peine leurs produits dans le tas ; et les deux pères confondaient tout à fait. Les huit noms dansaient dans leur
10 tête, se mêlaient sans cesse ; et, quand il fallait en appeler un, les hommes souvent en criaient trois avant d'arriver au véritable.

La première des deux demeures, en venant de la station d'eaux de Rolleport, était occupée par les Tuvache, qui avaient trois filles et un garçon ; l'autre masure abritait les Vallin, qui avaient une fille et trois garçons.

15 Tout cela vivait péniblement de soupe, de pommes de terre et de grand air. À sept heures, le matin, puis à midi, puis à six heures, le soir, les ménagères réunissaient leurs mioches pour donner la pâtée, comme des gardeurs d'oies assemblent leurs bêtes. Les enfants étaient assis, par rang d'âge, devant la table en bois, vernie par cinquante ans d'usage. Le
20 dernier moutard avait à peine la bouche au niveau de la planche. On posait devant eux l'assiette creuse pleine de pain molli dans l'eau où avaient cuit les pommes de terre, un demi-chou et trois oignons ; et toute la lignée mangeait jusqu'à plus faim. La mère empâtait elle-même le petit. Un peu de viande au pot-au-feu, le dimanche, était une fête pour tous ;
25 et le père, ce jour-là, s'attardait au repas en répétant : « Je m'y ferais bien tous les jours. »

Par un après-midi du mois d'août, une légère voiture s'arrêta brusquement devant les deux chaumières, et une jeune femme, qui conduisait elle-même, dit au monsieur assis à côté d'elle :

30   – Oh ! regarde, Henri, ce tas d'enfants ! Sont-ils jolis, comme ça, à grouiller dans la poussière !

     L'homme ne répondit rien, accoutumé à ces admirations qui étaient une douleur et presque un reproche pour lui.

     La jeune femme reprit :

35   – Il faut que je les embrasse ! Oh ! comme je voudrais en avoir un, celui-là, le tout-petit !

     Et, sautant de la voiture, elle courut aux enfants, prit un des deux derniers, celui des Tuvache, et, l'enlevant dans ses bras, elle le baisa passionnément sur ses joues sales, sur ses cheveux blonds frisés et pommadés de terre,

40 sur ses menottes qu'il agitait pour se débarrasser des caresses ennuyeuses.

     Puis elle remonta dans sa voiture et partit au grand trot.

■ Questions (15 points)

I. DEUX FAMILLES PAYSANNES   10 POINTS

▶ **1. a)** Des lignes 1 à 26, quel est le temps verbal le plus utilisé ? *(0,5 point)*
b) Donnez la valeur de ce temps. *(1 point)*

▶ **2. a)** Des lignes 1 à 14, quel mot est répété huit fois ? *(0,5 point)*
b) À quelle classe grammaticale appartient-il ? *(0,5 point)*
c) Quel est l'effet produit par cette répétition ? *(1 point)*

▶ **3.** Des lignes 1 à 26, relevez les reprises nominales qui désignent les enfants. *(1,5 point)*

▶ **4. a)** Quel est le sens du mot « pâtée » (ligne 17) ? Pour qui ce mot est-il généralement employé ? *(0,5 point)*
b) Quelle expression du texte reprend cette idée ? *(0,5 point)*
c) Comment s'appelle cette figure de style ? *(0,5 point)*

▶ **5.** « On posait devant eux l'assiette creuse » (lignes 20-21).
a) Donnez la classe grammaticale de « On ». *(1 point)*
b) À qui renvoie-t-il ? *(0,5 point)*

▶ **6.** « La mère » (ligne 23), « le père » (ligne 25).
a) De quelle mère et de quel père s'agit-il ? *(0,5 point)*
b) Concluez sur les relations qui unissent les deux familles. *(0,5 point)*

▶ **7.** Relevez des indications qui soulignent la pauvreté des deux familles. *(1 point)*

II. UNE VISITE   **5 POINTS**

▶ **8. a)** Quel est le temps verbal le plus utilisé à partir de la ligne 27 ? *(0,5 point)*

b) Expliquez ce changement. *(1 point)*

▶ **9.** Quel est le sens du verbe « grouiller » (ligne 31) ? Pourquoi est-il employé ? *(1 point)*

▶ **10. a)** Relevez le champ lexical de la saleté. *(0,5 point)*

b) Quels sentiments animent la jeune femme ? *(1 point)*

▶ **11.** Pourquoi, à votre avis, réagit-elle ainsi ? *(1 point)*

■ Réécriture (4 points)

Transposez les paroles de la jeune femme (lignes 35 -36) au discours indirect. Vous commencerez par : « Elle s'écria… ».

■ Dictée (6 points)

Alphonse Daudet
« Les petits pâtés », dans *Contes du lundi,* 1873

Depuis au moins vingt-cinq ans, c'était l'usage chez les Bonnicar de manger des petits pâtés le dimanche. À midi très précis, quand toute la famille – petits et grands – était réunie dans le salon, un coup de sonnette vif et gai faisait dire à tout le monde : « Ah ! voilà le pâtissier. »

Alors, avec un grand renversement de chaises, un froufrou d'endimanchement, une expansion d'enfants rieurs devant la table mise, tous ces bourgeois heureux s'installaient autour des petits pâtés symétriquement empilés sur le réchaud d'argent.

Ce jour-là, la sonnette resta muette.

Écrire au tableau : Bonnicar, endimanchement.

■ Rédaction (15 points)

Le lendemain, la jeune femme revient avec son mari. Vous raconterez la suite de cette histoire. Vous décrirez l'attitude des enfants devant les visiteurs.

Découvrir le sujet

▶ Les questions

Grammaire

- Nature et fonction.
- Référent de « on ».
- Reprises nominales.
- Temps verbaux.
- Valeurs de temps verbaux.

Vocabulaire

- Champ lexical.
- Relevés justificatifs.
- Sens de mots ou d'expressions.

Écriture

- Figure de style.

▶ La rédaction

- Lisez le Point clé 2 : « Écrire une suite de récit ».
- N'oubliez pas que la scène se déroule au XIXe siècle.

Érik Orsenna

La grammaire est une chanson douce
Stock, 2001

À la suite d'un naufrage, Thomas et Jeanne se retrouvent sur l'île des mots.
Monsieur Henri fait découvrir à la jeune fille les différentes activités de ce lieu.
Ils rencontrent une femme très âgée, la nommeuse, chargée de faire revivre les
mots anciens oubliés.

— Chère nommeuse ! (Monsieur Henri avait les yeux attendris d'un
enfant parlant de sa maman.) Puisse-t-elle vivre mille ans ! Nous avons
tant besoin d'elle ! Nous devons la protéger de Nécrole.
Voyant mon air angoissé (qui pouvait bien être ce Nécrole ?), il me
5 prit par l'épaule et me parla politique, comme à une grande.
— Nécrole est le gouverneur de l'archipel, bien décidé à y mettre de
l'ordre. Il ne supporte pas notre passion pour les mots. Un jour, je l'ai rencontré. Voici ce qu'il m'a dit : « Tous les mots sont des outils. Ni plus ni
moins. Des outils de communication. Comme les voitures. Des outils
10 techniques, des outils utiles. Quelle idée de les adorer comme des dieux !
Est-ce qu'on adore un marteau ou des tenailles ? D'ailleurs, les mots sont
trop nombreux. De gré ou de force, je les réduirai à cinq cents, six cents,
le strict nécessaire. On perd le sens du travail quand on a trop de mots.
Tu as bien vu les îliens : ils ne pensent qu'à parler ou à chanter. Fais-moi
15 confiance, ça va changer… » De temps en temps, il nous envoie des héli-
coptères équipés de lance-flammes, et fait brûler une bibliothèque…
Je frissonnais. Voilà donc les fameux ennemis qui nous menaçaient !
De colère, les doigts de Monsieur Henri me serraient le cou, de plus en
plus fort. Je me retenais de crier. J'avais presque mal.
20 — Ne te trompe pas, Nécrole n'est pas seul. Beaucoup pensent comme
lui, surtout les hommes d'affaires, les banquiers, les économistes. La
diversité des langues les gêne pour leurs trafics : ils détestent devoir payer
des traducteurs. Et c'est vrai que si la vie se résume aux affaires, à l'argent,
acheter et vendre, les mots rares ne sont pas très nécessaires. Mais ne
25 t'inquiète pas, depuis le temps, on sait se protéger.

■ Questions (15 points)

I. LA SITUATION DE COMMUNICATION   3 POINTS

▶ **1.** Qui raconte ? Citez deux indices de présence du narrateur et donnez leurs classes grammaticales (natures). *(1,5 point)*

▶ **2. a)** Qui parle ? À qui ? *(1 point)*
b) Quel est le but de ces paroles ? *(0,5 point)*

II. LES MOTS   5 POINTS

▶ **3. a)** Qui est Nécrole ? *(0,5 point)*
b) Quelle personne menace-t-il ? *(0,5 point)*

▶ **4.** « Puisse-t-elle vivre mille ans ! » (ligne 2).
a) À quel mode et quel temps est le verbe conjugué ? *(0,5 point)*
b) De quel type de phrase s'agit-il ? *(0,5 point)*
c) Quel sentiment exprime ici Monsieur Henri ? *(0,5 point)*

▶ **5. a)** Pour Nécrole, quel est le rôle des mots ? *(0,5 point)*
b) Comment les paroles de Nécrole sont-elles rapportées ? Expliquez ce choix. *(1 point)*

▶ **6. a)** D'après Nécrole, que font les gens qui ont « trop de mots » (ligne 13) ? *(0,5 point)*
b) Comment lutte-t-il contre eux ? *(0,5 point)*

III. LES LANGUES   7 POINTS

▶ **7. a)** Dans le groupe « La diversité des langues les gêne » (lignes 21-22), donnez la classe grammaticale (nature) et la fonction de « les ». Précisez quel est son référent. *(1,5 point)*
b) Quel est le radical du mot « diversité » (ligne 22) ? *(0,5 point)*
c) Expliquez le sens de ce mot. *(0,5 point)*

▶ **8. a)** Qui partage les idées de Nécrole ? Citez le texte. *(0,5 point)*
b) Pour quelles raisons sont-ils d'accord avec lui ? *(1 point)*

▶ **9. a)** « si la vie […] vendre » (lignes 23-24).
Quelle est la classe grammaticale (nature) et la fonction de cette proposition ? *(1 point)*

▶ **10. a)** Dans la phrase « Mais ne t'inquiète pas […] protéger » (lignes 24-25), quel est le rapport logique sous-entendu entre les deux propositions ? *(1 point)*
b) Marquez-le en utilisant une conjonction de coordination. *(1 point)*

■ Réécriture (4 points)

▶ **1.** Mettez la phrase suivante à la forme passive : « La diversité des langues les gêne pour leurs trafics » (lignes 21-22). *(2 points)*

▶ **2.** Transposez au discours indirect les lignes 20 à 23 : « Ne te trompe pas […] traducteurs ». Vous commencerez par « Monsieur Henri affirma que… ». *(2 points)*

■ Dictée (6 points)

Érik Orsenna
La grammaire est une chanson douce
Stock, 2001

Ainsi commença pour moi l'habitude d'une petite cérémonie qui ne m'a jamais apporté que du bonheur : chaque dimanche soir, avant de m'endormir, je flâne quelques minutes au fond d'un dictionnaire, je choisis un mot inconnu de moi (j'ai le choix : quand je pense à tous ceux que j'ignore, j'ai honte) et je le prononce à haute voix, avec amitié. Alors, je vous jure, ma lampe quitte la table où d'ordinaire elle repose et s'en va éclairer quelque région du monde ignorée.

■ Rédaction (15 points)

Sujet
Dans un texte argumentatif, vous répondrez à Nécrole pour défendre la diversité des langues et la richesse du vocabulaire.

Consignes
Votre texte sera organisé en paragraphes.
Vous appuierez vos arguments sur des exemples.
Vous respecterez les règles d'orthographe et de grammaire.
Vous vérifierez que vos phrases sont complètes.
Vous soignerez la présentation et l'écriture.
Vous rédigerez un texte d'au moins vingt lignes.

Découvrir le sujet

▶ Les questions

Grammaire

– Nature et fonction.

– Modes et temps verbaux.

– Rapport logique.

– Référent d'un pronom.

– Types de phrases.

Vocabulaire

– Relevés justificatifs.

Écriture

– Hypothèses de lecture.

– Indices de présence du narrateur.

– Situation de communication

▶ La rédaction

• Lisez le Point clé 6 : « Écrire un passage argumentatif ».

• Vous avez deux thèses à défendre ; elles sont clairement indiquées dans le sujet.

III. Maîtriser

les repères essentiels

Lexique

A C

Accords

Un mot s'accorde avec un autre mot lorsqu'il prend les mêmes marques de genre, de nombre ou de personne que lui. Seuls les mots variables s'accordent.

• **Accord adjectif/nom** : L'adjectif qualificatif, épithète ou attribut, s'accorde en genre et en nombre avec le groupe nominal qu'il qualifie (ex. : Les différents exercices sont difficiles).

• **Accord sujet/verbe** : Le verbe s'accorde avec le sujet en nombre, en personne et parfois en genre (ex. : *Les hommes* qui vivaient dans les cavernes *s'appellent* des troglodytes).

• **Accords des participes passés** :

– Directement lié au groupe nominal ou au pronom, ou séparé de lui par une virgule, le participe passé est employé comme un adjectif et s'accorde avec le groupe nominal ou le pronom (ex. : Fatiguées, elles s'arrêtèrent).

– Employé avec l'auxiliaire *être*, le participe passé s'accorde en genre et en nombre avec le sujet du verbe (ex. : Elles sont parties ce matin).

– Employé avec l'auxiliaire *avoir*, le participe passé s'accorde en genre et en nombre avec le COD quand il est placé avant le verbe (ex. : Les cerises que j'ai achetées ont disparu).

Antonymes • Mots de même classe grammaticale et de sens contraires (ex. : Rapide/lent ; rapidement/lentement ; rapidité/lenteur).

Autobiographie • Récit de la vie d'une personne, écrit par elle-même.

Champ lexical • Dans un texte, ensemble des mots qui se rapportent à une même idée.

Champ sémantique • Ensemble des différents sens d'un même mot (ex. : Carte → à jouer, d'un restaurant, routière…).

Classe grammaticale

• **Les mots variables** peuvent changer de genre, de nombre, de personne. Ce sont : les noms, les déterminants, les adjectifs, les pronoms et les verbes.

• **Les mots invariables** ne changent jamais d'orthographe. Ce sont :

– les conjonctions de coordination (mais, ou, et, donc, or, ni, car) ;

– les conjonctions de subordination (si, que, quand, comme, lorsque) et les locutions conjonctives avec que : après que, avant que…) ;

– les prépositions (à, de, par, pour, sur, sous, dans, avec, parmi…) ;

– les adverbes (hier, demain, puis, ensuite, ne… pas, ne… rien, lentement…).

Compléments circonstanciels • Ils sont liés à l'ensemble de la phrase ; on peut les supprimer ou les déplacer. Ils indiquent les circonstances du fait exprimé :

• **lieu** : À Paris, je me déplace en métro ;

• **temps** : Il me connaît depuis ma naissance ;

• **cause** : Il est en retard parce qu'il pleut ;

• **conséquence** : Il me parle de manière à tromper l'attente ;

• **but** : Il est allé sur place pour comprendre la situation ;

• **manière** : Il marche lentement ;

• **moyen** : Il a taillé la branche avec son couteau.

D E F

Degré de l'adjectif
• **Comparatif** : Il établit une relation de comparaison entre deux éléments par l'intermédiaire d'un adjectif :
– rapport d'infériorité : *moins... que* ;
– rapport d'égalité : *aussi... que* ;
– rapport de supériorité : *plus... que.*
• **Superlatif**
– relatif : Il établit une comparaison entre un élément et un ensemble dont il fait partie : *le plus... de, le... moins de* (ex. : *Le sommet le plus élevé du monde*).
– absolu : Il renforce le sens de l'adjectif par l'adverbe *très* (ex. : *C'est un très bon film*).

Discours rapportés
• **Discours direct** : Énoncé dans lequel les paroles sont rapportées entre guillemets comme elles sont prononcées (ex. : *Il déclara : « Lucie viendra demain »*).
• **Discours indirect** : Énoncé dans lequel les paroles sont rapportées au moyen de propositions subordonnées complétives, d'interrogatives indirectes ou de groupes infinitifs introduits par *de* (ex. : *Il dit que Lucie viendra demain ; Il demande à Lucie de venir demain ; Il se demande si Lucie viendra demain*).
• **Discours indirect libre** : Énoncé dans lequel les paroles sont rapportées sans subordination ni verbe introducteur de paroles ni guillemets (ex. : *Elle se mit à réfléchir. Irait-elle voir ses amis ?*).

Expansions du nom • Ce sont tous les éléments qui enrichissent un groupe nominal.
• **Épithète liée ou détachée** : Adjectif ou participe passé qui caractérise un groupe nominal sans l'intermédiaire d'un verbe d'état ; l'épithète détachée est séparée du GN par une virgule (ex. : *L'enfant turbulent s'agite.→ épithète liée ; Turbulent, l'enfant s'agite.→ épithète détachée*).
• **Complément du nom ou complément de détermination** : Il est composé d'une préposition suivie d'un GN ou d'un verbe à l'infinitif (ex. : *Un chapeau de paille ; un fer à repasser*). Parfois le complément du nom est construit sans préposition (ex. : *Un café-crème*).
• **Proposition relative** : Elle complète un antécédent et commence par un pronom relatif *(qui, que, quoi, dont, où, composés de quel)* (ex. : *Le film auquel tu fais allusion est original*).

Famille de mots • Ensemble des mots formés sur un même radical (ex. : *Port, transport, portatif, exporter... ; Cœur, courage, cordial, cardiaque...*).
• **Radical** : Mot simple, ou partie de ce mot, qui entre dans la composition d'autres mots de la même famille (ex. : *Triste, tristesse, tristement, attrister... ; Fidèle, confier, défi...*).
• **Préfixe** : Élément qui précède le radical dont il modifie le sens. Il ne change pas la classe grammaticale du mot (ex. : *Sup-port ; trans-port : ex-port, im-port*).
• **Suffixe** : Élément placé après le radical. Il change souvent la classe grammaticale du mot (ex. : *Port-able ; port-atif*).

Figures de style (Voir aussi **Image**) • Manière d'écrire qui enrichit l'expression.
• **Anaphore** : Répétition d'un même mot à la même place dans une phrase (ex. : *« Jamais on ne s'amuse et jamais on ne rit. »* Hugo).
• **Antithèse** : Opposition entre deux idées pour faire ressortir leur différence.
On parle d'oxymore lorsque deux mots de sens contraires sont côte à côte ; ce sont souvent un nom et un adjectif (ex. : *« Cette obscure clarté qui tombe des étoiles »* Corneille).
• **Énumération** : suite de mots se rapportant à une même idée (ex. : *« Cosette montait, descendait, lavait, brossait... »* Hugo).
• **Hyperbole** : mise en valeur d'une idée par exagération (ex. : *Elle verse des torrents de larmes*).
• **Paradoxe** : Mise en relief d'une idée par rupture logique (ex. : *Plus il mange, plus il a faim*).

Fonctions • Relation entre un mot (ou groupe de mots) avec un autre mot (ou groupe de mots).
• **Fonctions liées au nom** (Voir **Expansions du nom**).

• **Fonctions liées au verbe** :
– Sujet : Il fait ou subit l'action exprimée par le verbe. Il commande l'accord du verbe en nombre et en personne et ne peut être supprimé (ex. : *Le chat mange la souris*).
– Attribut du sujet : Il qualifie le sujet par l'intermédiaire d'un verbe d'état : *être, paraître, sembler, devenir, demeurer, rester, passer pour, avoir l'air* (ex. : *Ils sont bavards*).
– Complément d'objet direct (COD) : Complément essentiel d'un verbe construit sans préposition. Il peut être groupe nominal, pronom, verbe à l'infinitif ou proposition subordonnée. Il devient sujet à la forme passive (ex. : *Les enfants regardent un film* ; *Je pense qu'il a raison*).
– Attribut du COD : Il qualifie le COD (ex. : *Je le trouve sympathique*).
– Complément d'agent : Complément d'un verbe à la forme passive, il indique qui fait l'action exprimée par le verbe passif. Il est introduit par les prépositions *par* ou *de* (ex. : *La souris est mangée par le chat*).
– Complément d'objet indirect (COI) : Complément essentiel d'un verbe construit généralement avec une préposition, le plus souvent *à* ou *de* (ex. : *Il parle de ses vacances*).
– Complément d'objet second (COS) : Complément essentiel d'un verbe construit avec une préposition, le plus souvent *à* ou *de*, dans une phrase qui comprend déjà un autre complément d'objet (ex. : *Il offre des fleurs à son ami* ; *Il parle de ses vacances à son amie*).
• **Fonctions liées à l'ensemble de la phrase** (Voir **Compléments circonstanciels**).

Formation de mots (Voir aussi **Famille de mots**) • Les mots de la langue française sont :
• **des mots simples** formés du seul radical (ex. : *port ; table*).
• **des mots dérivés** construits sur un radical auquel on ajoute un préfixe et/ou un suffixe (ex. : *Import, portatif, importation*).
• **des mots composés** qui comportent deux mots simples (ex. : *wagon-lit*).
L'étymologie d'un mot précise son origine (ex. : *Équitation vient de equus, mot latin qui signifie* « cheval »).

Formes de discours • Le discours est la mise en pratique du langage à l'oral et à l'écrit. Les formes de discours se définissent par rapport à la visée de l'énoncé (Voir **Visée d'un texte**). Il existe quatre formes principales de discours :
• **le discours narratif** vise à raconter des événements.
• **le discours descriptif** vise à donner une image d'un lieu (description) ou d'une personne (portrait).
• **le discours explicatif** vise à donner des informations.
• **le discours argumentatif** vise à convaincre ou à persuader un interlocuteur.
Les textes et les rédactions demandées au brevet des collèges mêlent souvent différentes formes de discours.

Formes de phrases
• **Forme affirmative et forme négative**
La phrase négative comporte une négation partielle (*ne... que*) ou totale (*ne... pas, ne... jamais, ne... rien, ne... personne*).
• **Forme active et forme passive**
Dans la phrase active, le sujet fait l'action exprimée par le verbe (Voir **Fonctions**) (ex. : *L'élève apprend sa leçon*).
Dans la phrase passive, le sujet subit l'action exprimée par le verbe (Voir **Fonctions**) (ex. : *La leçon est apprise par l'élève*).
• **Forme neutre et forme emphatique**
La forme emphatique permet de mettre en relief un élément de la phrase. Tous les éléments d'une phrase peuvent être mis en relief sauf le verbe.
La mise en relief se fait :
– par la tournure *c'est... que, c'est... qui, voici... que, voilà... que.*
→ Phrase neutre : *Le dénouement me déplaît.*
→ Phrase emphatique : *C'est le dénouement qui me déplaît.*
– par le déplacement d'un groupe et sa reprise par un pronom (ex. : *Le dénouement, je le connais déjà*).

247

• **Forme impersonnelle**

Le verbe est employé à la 3e personne du singulier. Le sujet est toujours *il*, qui ne renvoie à aucun référent précis (ex. : *Il pleut. Il est clair qu'Henri ne viendra pas*).

• **Forme pronominale**

Le verbe est précédé d'un pronom réfléchi qui représente le sujet (ex. : *Il se regarde dans un miroir*).

G H I

Genre • Catégorie littéraire à laquelle appartient un texte : roman, théâtre, poésie, lettre, autobiographie.

Homonymes • Mots qui se prononcent de la même manière mais qui n'ont pas le même sens (ex. : *vert, vers, ver, verre, vair*).

Image

• **Comparaison** : mise en relation de deux éléments par l'intermédiaire d'un mot de comparaison (ex. : « *Le Poète est semblable au prince des nuées* » Baudelaire ; *Muet comme une carpe*).

• **Métaphore** : rapprochement de deux éléments sans mot de comparaison (ex. : « *L'océan des toitures* » Zola).

Une métaphore filée poursuit le même rapprochement sur plusieurs lignes.

• **Métonymie** : substitution de la cause à l'effet, du contenu au contenant, de la partie pour le tout... (ex. : *Boire un verre ; la salle a applaudi*).

• **Personnification** : figure de style qui consiste à attribuer à une chose des qualités ou des comportements humains (ex. : *La porte gémit*).

Indicateurs de lieu • Mots ou groupes de mots qui donnent des précisions sur le lieu (adverbe, groupe nominal) (ex. : *Là, dans le parc...*).

Indicateurs de temps • Mots ou groupes de mots qui indiquent le moment où se déroule un événement (adverbe, groupe nominal, proposition subordonnée) (ex. : *Soudain, à la tombée de la nuit, quand le moment viendra...*).

Indices de présence du destinataire • Mots désignant le destinataire : pronoms personnels (*tu, vous*), adjectifs possessifs (*ton, ta, tes, votre, vos*), pronoms possessifs (*le tien, le vôtre*).

Indices de présence du narrateur • Mots désignant la personne qui raconte : pronoms personnels (*je, nous*), adjectifs possessifs (*mon, ma, mes, notre, nos*), pronoms possessifs (*le mien, le nôtre*).

M N P

Mode • Pour les verbes on distingue :

• **Les modes personnels** (indicatif, subjonctif, impératif).

• **Les modes impersonnels** (infinitif, participe).

Nature (Voir **Classe grammaticale**)

Niveau de langue (Voir **Registre de langue**)

Paratexte • Renseignements fournis en dehors du texte même (titre, introduction, résumé).

Phrase

• **Phrase simple :** Une phrase simple ne comporte qu'un seul verbe conjugué, soit une seule proposition dite indépendante (ex. : *La nuit vint*).

• **Phrase complexe :** Une phrase complexe comprend plusieurs verbes conjugués, donc plusieurs propositions (Voir **Propositions**) (ex. : *[Il s'assit] [et se mit à lire le roman] [qu'il avait commencé la veille]*).

Phrase non verbale • Phrase sans verbe conjugué (ex. : *Encore un contrôle !*).

Poésie (Voir **Figure de style** et **Image**)
• **Assonance** : Répétition d'une même voyelle *(a, e, i, o, u, y)* ou du même son vocalique *(ou, on)* (ex. : « *Un doux frou-frou* » *Rimbaud*).
• **Allitération** : Répétition d'une même consonne (ex. : « *Pour qui sont ces serpents qui sifflent…* » *Racine*).
• **Rime** : Répétition d'une (ou de plusieurs) sonorité(s) identique(s) en fin de vers.
Les rimes peuvent être suivies (AABB), croisées (ABAB) ou embrassées (ABBA).
Des rimes sont pauvres lorsqu'elles n'ont qu'un son en commun, suffisantes lorsqu'elles en ont deux, riches avec trois sonorités ou plus en commun.
• **Strophe** : Ensemble de vers séparés par un blanc.
Une strophe de quatre vers est un quatrain, une strophe de trois vers, un tercet.
Un poème qui comporte deux quatrains et deux tercets est un sonnet.
• **Vers** : Ensemble fixe de syllabes sur une même ligne. Un vers de 12 syllabes est un alexandrin, un vers de 10 syllabes, un décasyllabe, un vers de 8 syllabes, un octosyllabe.

Point de vue • Manière de voir les choses ou les événements et de les raconter.
On distingue :
– **Point de vue interne** : Le narrateur ne rapporte que ce qu'il peut voir, ressentir ou supposer.
– **Point de vue omniscient** : Le narrateur connaît tout et voit tout sur les événements et les personnages.

Ponctuation • Les signes de ponctuation indiquent des pauses plus ou moins longues dans la phrase (virgule, point-virgule) ou le texte (point, point d'interrogation).
• **Guillemets** : Ils ouvrent et ferment le discours rapporté direct (ex. : *Elle lui demanda : « Es-tu prêt ? »*). Ils mettent un mot en évidence, parfois d'un niveau de langue différent (ex. : *Il est complètement « ouf »*).
• **Parenthèses** : Elles isolent un groupe de mots qui souvent donnent une explication (ex. : *Elle refusa de répondre (je comprends maintenant pourquoi) et partit dans sa chambre*).
• **Points de suspension** : Ils indiquent soit qu'une énumération pourrait se poursuivre, soit une hésitation dans le discours, un silence, une émotion (ex. : *Il ouvrit sa valise et y plaça des chaussettes, des chemises, des pantalons… ; « Tu sais… en fait… je suis… un grand timide »*).
• **Tirets** : Dans le discours rapporté direct, ils indiquent un changement d'interlocuteur. Dans un texte, ils mettent en évidence un mot ou groupe de mots.
(ex. : « *Viens ici tout de suite !*
– *Tu plaisantes ?*
– *Pas le moins du monde.* »
Son père – un homme calme – piquait parfois des colères homériques).

Proposition
Ensemble de mots qui forme une unité de sens construite autour d'un verbe conjugué.
• **Propositions juxtaposées** : Ce sont deux propositions indépendantes séparées par une ponctuation autre que le point (ex. : *[Le coureur s'arrêta], [il était fatigué]*).
• **Propositions coordonnées** : Ce sont deux propositions indépendante reliées par une conjonction de coordination (*mais, ou, et, donc, or, ni, car*) ou un adverbe (*puis, alors…*) (ex. : *[Le coureur s'arrêta] [car il était fatigué]*).
• **Proposition subordonnée** : C'est une proposition qui dépend d'une autre proposition dite principale. On distingue :
– les propositions subordonnées conjonctives introduites par des conjonctions de subordination : *que, si, quand, comme, lorsque, dès que…* (ex. : *[Le coureur s'arrêta] [parce qu'il était fatigué]*) ;
– les propositions subordonnées relatives introduites par des pronoms relatifs : *qui, que, quoi, dont, où*, et les composés de *quel* (Voir **Subordonnée**) (ex. : *[Le coureur qui était fatigué s'est arrêté]*).

R S T

Rapport logique

Manière d'associer logiquement deux termes d'une phrase, deux idées.

• **Rapport de but**

Il indique l'objectif à atteindre (ex. : *Il entra pour nous saluer ; Il expliqua longuement afin que chacun comprenne*).

• **Rapport de cause/conséquence**

– La cause indique l'origine, la raison d'une action.

– La conséquence indique le résultat d'une action.

Ex. : *Fatigué (cause), le coureur s'arrêta (conséquence).*

Le coureur s'arrêta (conséquence) car il était fatigué (cause).

Le coureur était si fatigué (cause) qu'il s'arrêta (conséquence).

• **Rapport de condition**

La condition indique une hypothèse, la supposition d'un fait (ex. : *Tu réussirais si tu apprenais/ avec plus de travail/en travaillant davantage*).

• **Rapport d'opposition**

Ce rapport existe entre deux faits dont l'un fait obstacle à l'autre, sans pour cela l'empêcher (ex. : *Bien qu'il travaille, il a du mal à suivre*).

• **Rapport de temps**

On distingue :

– l'antériorité (ex. : *Avant ton départ, pense à appeler ta grand-mère*) ;

– la simultanéité (ex. : *Il écoute de la musique en travaillant*) ;

– la postériorité (ex. : *Tu passeras me voir après tes cours*).

Référent d'un pronom

Mot ou groupe de mots que le pronom reprend (ex. : *Les fantômes, je n'y crois pas, mais ils me font peur ; Son allure, son langage, son comportement, tout me déplaisait en lui*).

Registre de langue

Manière de parler dans une situation donnée.

On distingue 3 registres de langue :

• **Registre familier** : langage employé surtout à l'oral, qui utilise des termes populaires ou argotiques, une syntaxe parfois incorrecte (ex. : *T'as maté la bagnole ?*).

• **Registre courant** : langage correct employé pendant les cours et attendu dans les rédactions (ex. : *Est-ce que tu as vu la voiture ?*).

• **Registre soutenu** : langage recherché dans le vocabulaire et la syntaxe (ex. : *As-tu prêté attention à cette automobile ?*).

Reprise

Fait de renommer, phrase après phrase, les personnages ou les objets dont parle le texte.

• **Reprise nominale** : reprise d'un groupe nominal par un autre groupe nominal (ex. : *Cosette marchait seule. La petite fille s'avançait dans la forêt*).

• **Reprise pronominale** : reprise par un pronom personnel (Voir **Référent d'un pronom**) (ex. : *Cosette marchait seule. Elle s'avançait dans la forêt*).

Sens de mots

• **Sens propre/sens figuré**

– Le sens propre est le sens premier d'un mot (ex. : *Un feu de bois. Un fil de soie*).

– Le sens figuré renvoie à une image symbolique ou abstraite (Voir **Image**) (ex. : *Le feu de l'action. Le fil de la conversation*).

• **Dénotation/connotation**

La dénotation renvoie au sens du mot tel qu'il est donné dans un dictionnaire (ex. : *« Rouge » désigne une couleur*).

La connotation désigne le sens que ce mot peut prendre dans un contexte précis (ex. : *« Rouge » peut être connoté par l'idée de violence, de mort, de sang*).

Subordonnée (Voir **Proposition**)

• Subordonnée conjonctive

Elle est introduite par une conjonction de subordination (*que, si, quand, comme, lorsque, dès que...*) et dépend d'un verbe.

On distingue :

– les subordonnées complétives introduites par *que* ; elles sont compléments d'objet et se trouvent après des verbes de déclaration (*dire, affirmer*), de perception (*voir, constater*), de pensée (*penser, juger*), de sentiment (*souhaiter*) (ex. : *Je constate qu'il va mieux*) ;

– les subordonnées interrogatives indirectes, au discours rapporté indirect (Voir **Discours rapporté**) (ex. : *Je me demande s'il arrivera à temps*).

– les subordonnées circonstancielles. Elles indiquent une circonstance : temps (*quand, lorsque*), cause (*parce que, puisque*), conséquence (*si bien que, si... que*), but (*pour que, afin que*), condition (*si*), opposition (*bien que, quoique*). Elles sont compléments circonstanciels du verbe de la proposition principale (ex. : *Quand le printemps arrive, tout le monde se sent joyeux*).

• Subordonnée relative (Voir **Expansions du nom**)

Elle dépend d'un nom qui est son antécédent et commence par un pronom relatif *(qui, que, quoi, dont, où*, composés de *quel*) (ex. : *L'endroit où nous allons est charmant*).

Synonymes • Mots de même sens (ou de sens voisins) et de même classe grammaticale (ex. : *envoyer = expédier ; Dextérité = habileté*).

Des synonymes peuvent appartenir à différents registres de langue (Voir **Registres de langue**) (ex. : *bagnole = voiture = automobile*).

Syntaxe • Organisation grammaticale des phrases (Voir **Phrase, Proposition, Subordonnée**).

Temps de l'indicatif

On distingue :

• Les temps simples

– présent *(je regarde, je finis, je prends)* ;

– imparfait *(je regardais, je finissais, je prenais)* ;

– passé simple *(je regardai, je finis, je pris)* ;

– futur simple *(je regarderai, je finirai, je prendrai)* ;

– conditionnel présent *(je regarderais, je finirais, je prendrais)*.

• Les temps composés

– passé composé *(j'ai regardé, j'ai fini, j'ai pris)* ;

– plus-que-parfait *(j'avais regardé, j'avais fini, j'avais pris)* ;

– passé antérieur *(j'eus regardé, j'eus fini, j'eus pris)* ;

– futur antérieur *(j'aurai regardé, j'aurai fini, j'aurai pris)* ;

– conditionnel passé *(j'aurais regardé, j'aurais fini, j'aurais pris)*.

Temps du subjonctif

On distingue :

• Les temps simples

– présent *(il faut qu'il regarde, qu'il finisse, qu'il prenne)* ;

– imparfait *(il fallait qu'il regardât, qu'il finît, qu'il prît)*.

• Les temps composés

– passé *(il faut qu'il ait regardé, qu'il ait fini, qu'il ait pris)* ;

– plus-que-parfait *(il fallait qu'il eût regardé, qu'il eût fini, qu'il eût pris)*.

L'imparfait et le plus-que-parfait du subjonctif ne sont utilisés que dans des textes littéraires.

Théâtre (Voir **Genre**) • Genre d'un texte qui comprend presque uniquement des dialogues et qui est destiné à une représentation scénique.

• Didascalies : Indications scéniques (décor, costumes, tons de voix, gestes, déplacements, attitudes) données par l'auteur et mises en italique dans un texte théâtral.

• Réplique : Ensemble de paroles dites par un personnage avant qu'un autre n'intervienne. Quand une réplique est très longue, on parle de tirade. Quand le personnage est seul en scène et qu'il s'adresse à lui-même, c'est un monologue.

Tonalité d'un texte • Procédé pour faire naître une réaction, une émotion chez le lecteur ou le spectateur.
• **Comique** : destiné à faire rire ;
• **Humour** : destiné à faire sourire ;
• **Ironique** : qui fait comprendre le contraire de ce qui est dit ;
• **Péjoratif** : qui dévalorise la chose ou la personne.

Types de phrases • On compte quatre types de phrases :
• **Phrase déclarative** : elle expose un fait et se termine par un point.
• **Phrase interrogative** : elle pose une question et se termine par un point d'interrogation.
On distingue :
– l'interrogation totale, qui porte sur l'ensemble de la phrase et dont la réponse peut être *oui* ou *non*. Elle commence par *est-ce que* ou se fait par inversion du sujet quand c'est un pronom, ou reprise du sujet par un pronom placé après le verbe quand le sujet est un groupe nominal (ex. : *Est-ce qu'elle viendra ? ; Viendra-t-elle ? ; Ton amie viendra-t-elle ?*).
– l'interrogation partielle, qui porte sur un élément de la phrase et qui commence par un mot interrogatif : *qui, quand, où, comment, pourquoi...* (ex. : *Qui viendra ?*).
• **Phrase injonctive** : elle donne un ordre, un conseil et se termine par un point ou un point d'exclamation. Le verbe peut se mettre :
– à l'impératif (ex. : *Viens*) ;
– au subjonctif (ex. : *Qu'il vienne*).
Certaines phrases injonctives sont des phrases nominales (ex. : *Dehors !*).
• **Phrase exclamative** : elle exprime un sentiment, une émotion et se termine par un point d'exclamation (ex. : *Qu'elle est belle !*).

Typographie • Manière dont le texte est imprimé.
Certains procédés permettent de mettre des mots ou des groupes de mots en relief :
• **Le gras** rend les caractères plus noirs.
• **L'italique** signale que certains mots appartiennent à une autre langue, sont familiers. Les didascalies sont souvent en italique.
• **Les lettres capitales** permettent de repérer certains mots parmi les autres écrits en minuscules.

Valeurs des temps verbaux
• **Présent de l'indicatif**
– présent d'énonciation : le fait se déroule au moment où l'on parle. Il est employé en particulier dans les dialogues (ex. : « *Je te recommande ce livre.* »).
– présent à valeur de passé récent ou de futur proche (ex. : *Trop tard ! le train quitte la gare à l'instant. Nous partons dans cinq minutes*).
– présent d'habitude employé souvent avec un complément qui indique la répétition dans le présent (ex. : *Je pars tous les samedis à la campagne*).
– présent de vérité générale pour des faits qui se vérifient toujours ou des idées présentées comme intemporelles (ex. : *Pierre qui roule n'amasse pas mousse ; L'eau bout à 100°*).
– présent de narration : dans une narration au passé, il rend l'événement plus actuel pour le lecteur (ex. : *La maison était calme. Tout à coup un cri se fait entendre*).
• **Les temps du passé**
– Passé composé :
Il situe un événement dans un passé plus ou moins lointain et peut être remplacé par un passé simple. Il établit alors un « pont » temporel entre le passé et le présent (ex. : *Serge Gainsbourg est mort en 1991*).
Le fait est présenté comme accompli par rapport au présent (ex. : *Quand il a bien travaillé, il se détend en jouant à des jeux vidéo*).
– Passé simple et passé antérieur :
→ Le passé simple exprime l'aspect limité d'un fait dont on connaît le début et la fin ; dans un récit, il est employé pour évoquer une succession d'actions qui sont au « premier plan » (ex. : *Elle se leva, prit son sac et décida de partir*).

→ Le passé antérieur s'emploie le plus souvent dans une proposition subordonnée qui marque l'antériorité par rapport au fait principal exprimé au passé simple (ex. : *Quand il eut regardé les photographies, il resta songeur*).

→ Imparfait et plus-que-parfait :

L'imparfait est employé pour une action passée dont on ne précise ni le début ni la fin. Il est souvent utilisé dans les descriptions. Dans un récit, il marque des actions de « second plan » (ex. : *Elle lisait quand le téléphone sonna*).

Avec un complément de temps, il indique parfois une habitude passée (ex. : *Je partais tous les samedis à la campagne*).

→ Le plus-que-parfait est utilisé pour marquer l'antériorité d'un fait présenté comme accompli par rapport à un autre moment du passé (ex. : *Elle montrait les photographies qu'elle avait prises pendant ses vacances*).

• **Le futur**

– Futur simple et futur antérieur :

→ Le futur situe un fait dans l'avenir par rapport au présent (ex. : *Tu viendras demain me montrer tes photographies de vacances*).

→ Le futur antérieur marque l'antériorité d'un fait par rapport à un autre fait encore non réalisé (ex. : *Quand elle aura couru, elle prendra une douche*).

– Conditionnel présent et conditionnel passé :

→ Le conditionnel présent exprime l'incertitude (ex. : *S'il travaillait, il louerait un appartement*). Dans un récit au passé, en particulier dans un discours rapporté indirectement, il situe un fait après un autre fait : il s'agit alors d'un futur dans le passé (ex. : *Le propriétaire de l'hôtel me disait que les vacanciers arriveraient plus tard cette année*).

Il peut marquer aussi une distance du narrateur par rapport à ce qu'il dit (ex. : *Le préfet viendrait inaugurer le monument*).

→ Le conditionnel passé marque un fait qui ne s'est pas réalisé (ex. : *Vous auriez pu vous taire !*).

Visée d'un texte • Objectifs ou buts de l'auteur lorsqu'il écrit son texte : convaincre, persuader, émouvoir, distraire, faire réfléchir…

Achevé d'imprimer chez Actis à Gauchy - France

Dépôt légal N° 76584 - Août 2006